雪泥集：
漢學文字戲曲論集

李殿魁著

文史哲學集成

文史哲出版社印行

國家圖書館出版品預行編目資料

雪泥集：漢學文字戲曲論集 / 李殿魁著. --
初版 -- 臺北市：文史哲, 民 100.03
頁；　公分（文史哲學集成；599）
ISBN 978-957-549-956-3 (平裝)

1.漢學 2.古文字學 3.戲曲 4.文集

030.7　　　　　　　　　　1000035100

文史哲學集成　599

雪泥集:漢學文字戲曲論集

著　　者：李　殿　魁
出 版 者：文 史 哲 出 版 社
http://www.lapen.com.tw
e-mail:lapen@ms74.hinet.net
登記證字號：行政院新聞局版臺業字五三三七號
發 行 人：彭　正　雄
發 行 所：文 史 哲 出 版 社
印 刷 者：文 史 哲 出 版 社
臺北市羅斯福路一段七十二巷四號
郵政劃撥帳號：一六一八〇一七五
電話886-2-23511028・傳真886-2-23965656

實價新臺幣四二〇元

中華民國一百年（2011）三月初版

ISBN 978-957-549-956-3　　00599

雪泥集：漢學文字戲曲論集

目錄

弁 言（代序）

集子名「雪泥」，因為幼年最欣賞蘇長公的一首：「人生到處知何似」，此生一如雪泥鴻爪。背井離鄉，一霎時已經年過古稀，撿拾一些舊稿，聊以告慰零落殆盡的師友們，講句良心話，我很佩服孔夫子的「述而不作」，文章寫完就算了，不想增加地球的負擔，已然污染了不少。一生誤人子弟，不知凡幾，而今想想一無是處，原因就像東坡拍拍肚皮對朝雲說的：「一肚子的不合時宜」！既不想做官，也不懂如何發財，守著一些甲骨、金文，整天讓老伴埋怨「房子讓書佔」，何為乎來哉？

民國五十一年，曉峯先生創辦中國文化研究所，把我從新竹東山里省立竹中誘惑到陽明山來，這是我生命的轉捩點，從一個中學國文教師走向國學殿堂，一心要做一個讀中國書的中國人，五十三年拿到碩士，接著主持編印中文大辭典，零落的人手，其中甘苦不足為外人道，但接著幾部大小辭典，也培養出不少學生，便在邊纂、邊寫、邊教中，寫了一些東西，檢一些出來，獻獻醜吧！

六十年獲得國家文學博士，曉峯師命我編一部「大學字典」，其間又幫助教育部整理制定常用國字，這時我覺得文字整理工作很不容易，搜集了三十幾部大小字辭典，將字頭製成總表，才有後來的標準字體甲、乙、丙、丁表，即常用、次常用、罕用、異體四類。「大學字典」的例句、也儘量用宋元以後的小說、戲曲作品裡的句子。以期脫離諸橋轍次博士的「大漢和辭典」的陰影。六十三年曉峯師資助我去歐洲留學，要我去英國愛丁堡，英國跟我們沒邦交，不給簽證，法國可歡迎我，又因我研究所第二外語修的是法文，去巴黎則是順理成章。

去巴黎第一個幫我辦手續和居留的是蘇神父；讓我能進第五高等研究院的則是施博爾兄，在巴黎第二年我便做了邵康節的首尾吟研究，及用法語向研究員作報告，其實施兄很想留我在巴大教書，曾偷偷到台北向曉峯師要人，曉峯師回答他：「你們要他，我們更需要他！」因為曉峯師要辦大學，我們是他的種子部隊，舟人兄作得魯莽，他如果事先跟我商量，一定可以兩全其美，那時大家都想往外逃，他向曉峰師一說，老先生以為我想留在法國，尤其正是國家用人之際，鼓勵大家「海歸」，這件事他弄砸了，因而不等四年，兩年我便束裝回來。六十七年中美斷交，凡愛國者尤其我這讀聖賢書的，當時巴黎給我五個位子，我還是毅然返航，共赴「國難」。

回來給研究生上課，當時正是銀雀山兵法簡出土，馬王堆漢墓以及我在巴黎讀了兩年敦煌卷子等等，所以就開了一門「學術新資料」，這便是「漢學研究在歐洲」，「學術資料與學術研究」的產生。當時有感於年輕學者沒有機會出國參加國際學術會議，巴黎的朋友們希望我回來組織學會，好跟國際學術團體打交道，開開眼界，通通聲氣！所以申請成立「古典文學研究會」「談敦煌寫卷的解讀與通俗文學的研究」便是第一屆會議的論文。

「候馬盟書」：中文系的人，沒有不讀春秋左傳的，但對諸侯之間的會盟情形，則一無所知，山西侯馬出土了一批晉國三家分晉前的一些趙氏等權貴們各類盟誓的鐵券丹書，當然是一流的學術資料！應該告知文史的研究生，對春秋研究有很大的幫助，不要老是空講廢話。

「敦煌西域文獻國際會議」，是歐洲漢學家們在巴黎召開的，而我們成立的「古典文學會」，就發揮了作用，台灣的年輕學者可以應邀參加，我們可以走出國門，參加國際會議；吳經熊老師所譯的天主教「聖詠」，是我們華岡博士生「高級班」的譯學課，老師強調翻譯外文，除了信、達、雅之外，更應注意文化的底層，經典對經典，文學對文學，不可輕忽操觚！

「西周銅器銘文中年歷斷代之探討」，主要是追隨高笏之師研讀金文，又向一萍師習甲骨，萍師并授以彥堂先生的殷曆譜及年曆總譜，先後有史籍可徵的周代，檢驗銅器上的紀年月日，可否合於董譜，進而再以卜辭資料驗殷曆；若想研讀甲骨文必先明瞭出土甲骨之種種相關知識，諸如斷代、稱謂、辭例、片子部位、部份與全體、占驗與對貞……種種基本功，必須實地練習，萍師乃授以「冬飲廬所藏甲骨」，試作隸定，文章刊出後并得到香港李棪齋教授引用。其餘三篇短文，乃平日讀甲骨片與玉琤兄研討之筆記，聊以附此。而「甲骨字之解謎者」一文，乃彥堂先生百年誕辰，應歷史博物館約請所作之報告。萍師生平最膺服彥老，尤其強調董氏乃合天的曆譜，且驗之奧茲泊爾及儒略曆日，絕非閉門造車者之所為，容有可修正補苴之處，彥堂先生十分首肯此種學術態度。

「墨經形學簡釋」，乃師大讀書時景伊師為使「民族正氣」學術雜誌不致停刊，囑為文充版面，然當時條件，實難以維持，一期之後，仍然告終，則此一文可知大學期間讀書深思之一斑。

「元散曲訂律提要」，是民國六十年獲國家文學博士學位之論文提要，旨在說明學位論文，必有創獲或對傳統理論有所補正；「雙漸蘇卿故事」，是漢學中心為紀念蔣公百歲冥誕，所舉辦的戲曲小說國際會議，應邀參加所提之論文，說明做學問要細心，多方關照，才能夠勒出某一問題之輸廓，尤其對同類作品的解讀，絕非從字面就能瞭解，必須到處尋覓相關線索，積沙成塔。

最讓我不堪的是「中文大辭典修訂工作雜述」一文，它不是學術論文，但卻是台灣學術文化史上一件大事。詳情後文中有交待，此處不贅。要之在二次大戰期間，日本諸橋轍次主編了一部十二大本的「大漢和辭典」，實際上是一部康熙字典的擴充，祇是字、大漢和除字搜羅更多外，主要增加了詞條，包含了古今重要典籍中的成詞成語，儼然是一部日譯漢文學大辭典，當時師範大學國文研究所有了不少博、碩士研究生，仲華、景伊師受託主持編纂「中文大辭典」，主要資料則取之於大漢和，民國五十一年十一月出版了第一冊，預計三十冊，由於是要應付預約，以書養書，前後徵求到三百多預訂戶，雖然主編是高、林二老，實際是博士班大學長掛帥，當時台灣生活艱鉅，經費又不穩定，編纂委員不能定期發工作費，印刷廠又天天要排字的稿子及排字的工資，一位總幹事，顧得公來又顧不得婆，文的武的，天天吵架，時時搬家，主任委員曉峯師幾乎每天都在「過年三十」，又加上開辦了文化研究所及大學部，開銷更大了，五十三年我碩士畢業，一度曾接替學校財務，天天跑三點半；五十二年八月印完第十冊，搬了七、八次家，直到五十四年十一月由慈多同學接手，才出第十一冊，書未印出，客戶不僅天天催，也不肯匯書錢來，直到五十五年一月我接手出第十二冊，以後經過許多艱辛，做到每兩月出一冊，終於千難萬難到五十七年八月出到第三十八冊，加上兩本索引，共四十冊。由於有蔣公資助，雖是不敷成本，但總算全部出齊了；後來聽說大陸也翻印過幾次。因為內容比大漢和辭典是有些不同。適合國人也。

民國六十一年曉峯師要我將大辭典縮編成一本大學生可用的「大學字典」，為了給蔣公祝壽，期限明年十月卅一日前完成。五萬字中選那些字？一本一兩千頁的字典，可容納若干甚麼字，為了好用，詞頭例句必定要換成可讀性較高的通俗文學作品，鳩集文化大學部中文系，研究所博、碩士生共五十人，分編輯、資料、索引、抄校四組，二十位老師任定稿編纂，第一步先修訂大辭典的字頭部份錯誤，將四十冊縮小合訂成十大冊的中文大辭典第一次修訂本。也是對讀者的回饋，然後經過不眠不休終於在六十二年十月三十一日出祝壽版的「大學字典」，曉峯師十分讚許，知道華岡人可以擔當修訂「中文大辭典」的重責大任，但必先慰勞我的辛苦，也希望培植我成為可用的人才，所以要我出國進修，跟外界多多取經。

民國六十四年我由法國回來，接任中文系主任，高、林、潘二老一體，石禪師任所長，相安無事，其時黃永武兄獲得文學博士，任教高雄師院，我與張夢機兄每週一清晨七點「光華號」柴油快車下高雄，為高師創辦研究所研究生上課，週二晚北返回校工作，如此將近十年，後因校務太忙，我辭系主任，民國七十一年四月（附圖）又命我成立「辭典修纂處」，任主任委員，直至將「中文大辭典」修訂完成之日止。

「中文大辭典」在中國辭典編纂史上，也算是一件大事，但由於「大漢和」完成在前，取材都是中國典籍，雷同處一定很多，他錯我們也錯，因為取資相同，脫不了抄襲的陰影，我跟曉峯師討論，修訂必須大動手腳，脫離大漢和的窠臼，中文畢竟是我們自己的，文化是有學術性的國際大學，曉峯師十分同意，在校務會議上特別宣佈編修經費不可打折，人手全力支援，圖書館五樓全部給修纂處使用。不久景伊師逝世，我們經過兩年的努力，已經整理出單字近六萬，「一」字的詞條超過原書八倍以上，足可成一書本，仍用從前預約辦法，只要有一兩本印製的經費，同樣邊編邊印，一定可出一部更好的「大辭典」，不幸七十三年起曉峯師長期住院，其公子接董事長，我們修纂處三個月沒有薪水發，我去找曉峯師，他一縐眉頭：「沒有這回事」！不承認董事長換人，學校當局看到我們工作人員喧嘩，不得已舉行聽證會，請曉峯師的老友潘公來評議；潘說：「中文大辭典是我兩位老友主編的，內容很好，不必修！」學校如奉聖旨，重擔解脫了。景伊師恰逢逝世週年，我是孤立無援，一屋子的寶貴資料，數十位工作人員的心血，其中包含我的德國學生，他通滿、蒙、藏、德、英、法多種語言，全被潘公的一句話，一切落空！曉峯師的功業脫不了那層陰影，人生便應如此嗎？學術良知呢？國人名譽呢？華岡真是學店嗎？！

以上這些文章，當年執筆時，真是雄心萬丈，希望能為國家文化盡點心力，今日讀來真是不勝唏噓，人生總會有如許無奈！

李殿魁述於民國九十九年九月赴上博參觀之前夕

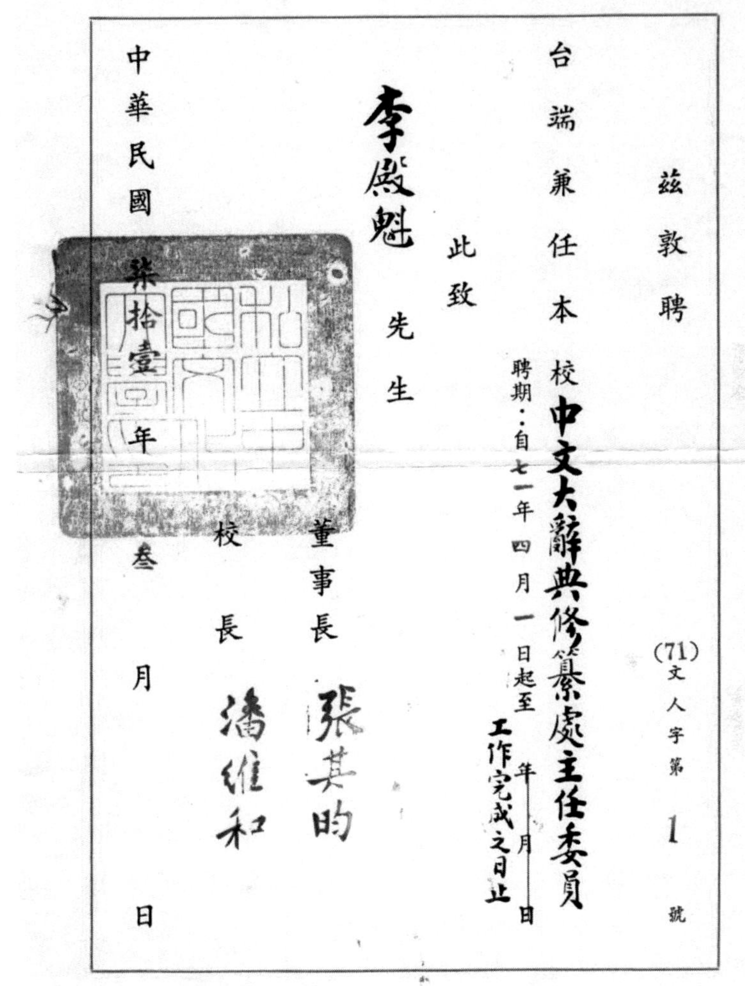

中國文化大學聘函

(71)文人字第1號

茲敦聘

台端兼任本校中文大辭典修纂處主任委員

聘期：自七一年四月一日起至　年　月　日
工作完成之日止

此致

李殿魁　先生

董事長　張其昀

校長　潘維和

中華民國柒拾壹年叁月　日

此為張曉峰先生手諭文化大學所發中文大辭典修纂，工作直至完成日止之聘書可惜中途胎死腹中的中國學術之厄！

邵雍及其擊壤集

一、邵雍的生平（西元一〇一一——一〇七七）

關於邵雍的史傳資料並不太豐富，根據《宋史・列傳一八六道學傳》及程明道作的墓誌銘，知道他的大概生平。在他的一首〈生日吟〉知他生於宋真宗大中祥符四年辛亥（西元一〇一一年十二月二十五日），本是河北范陽人，父親名古，遷居衡漳。後又遷到河南共城（今之輝縣），就定居共城，其父死後即葬於此。少時懷有大志，於書無所不讀；家貧，寒不爐、暑不扇，夜不就席者數年。又遍遊淮漢、齊魯、宋鄭之墟，歸共城即隱而不出，向當時的共城令北海李之才學伏犧先天象數學。三十九歲起，定居洛陽，但仍常出入陝西、山西、河南一帶名山大川、尋師訪友。嘉祐時（西元一〇五六年）上求賢，他不肯作官，卜居洛陽天津橋畔。嘉祐二年（西元一〇五七年），其子伯溫生（後入儒林傳），又去陝；嘉祐七年（西元一〇六二年）他五十二歲，把天津橋房子作了一次整修，開始隱居生活。終日讀《詩》、《易》、《春秋》，開始大量寫詩。五十六歲時已有詩集流傳。名為《伊川擊壤集》（有序），五十八歲時其弟睦無疾而終。六十一歲，他的名著《皇極經世》完成，有詩〈書皇極經世後〉紀之。同時開始他的一項特別詩作——

首尾吟。這時，王安石任相，韓琦、富弼、司馬光等均不得意，不同意新法，都和邵雍唱和，還有程頤等也跟他往來。六十四歲這年，司馬光、富弼等二十幾人籌資，把他住的天津橋畔房子買下來送給他，他寫了一首「天津弊居蒙諸公共成買，作詩以謝」之詩。他名他住的地方叫「道德坊」、「鳳凰樓」、「長生洞」、「安樂窩」、「天宮閣」。在這幾年中，他寫了很多詩，旦則焚香燕坐，黃昏時就喝酒至微醉。天氣好就坐輛小車出遊城中，人人歡迎，都說：「我家先生到了！」熙寧十年（西元一〇七七年）病卒（他素有頭痛及手臂風濕諸病），年六十七。元祐元年（西元一〇八六年）尊他為「康節先生」。

以上所言，部份根據宋史，部份是根據他的詩集裏所敘述的事情，來作介紹的。

二、有關研究他的資料

素來研究康節先生的人，就我所知並不多（也許有些資料，我沒看見）。在馮友蘭的《中國哲學史》下冊，第二篇十一章中（八三〇頁至八五一頁）有較系統地分析他的哲學思想，及另外一些哲學書中也提到他有一千多首詩、二十卷的集子。但日本的吉川幸次郎的《宋詩概論》並未提到他，而一般的中國文學史裏面，也不曾注意到他。除了他的兒子邵伯溫有百卷《皇極經世解》外，作全面性研究他的資料，恐怕不太多。

三、他的著作著其詩

邵康節的著作，在《宋史》列傳裏說他有《皇極經世》、《觀物內外篇》、《漁樵問對》、《伊川擊壤集》。但在《四部叢刊》和《道藏》裏所俱存的《皇極經世》這部書，我們知道，所謂的「觀物內外篇」實際上是《皇極經世》裏的篇名，並不是另外還有專作。至於「漁樵問對」，我沒看到；另外便是他的《伊川擊壤集》，也收在《四部叢刊》及《道藏》裏。

談到《皇極經世》，此書一共十二卷，卷一到卷十，每卷又分上、中、下卷，每一上、中、下卷又分為篇——叫做「觀物篇」，從卷一到卷十一，共有五十篇「觀物篇」。第十一卷分上、下，有十二篇。也是「觀物篇」，但編書人可能把數字弄錯了，變成四十一至五十二，實際是觀物篇五十一至六十二。卷十二也只分上、下，叫做「觀物外篇」上、下。

《皇極經世》的卷一到卷六，這個三十四篇「觀物篇」，是一個以元、會、運、世為綱所推算排列的一個大年表，馮友蘭叫它作「世界年表」。卷一、卷二是四千三百三十世（一世三十年）的總表也就是一元的十二萬九千六百年的總表。卷三、四是邵康節推算的合於中國歷史紀年的當中一段——起於帝堯，終於五代的年表（是表的第二部份）。卷五、六，再自帝堯起，逐年把中國歷史上的大事寫出來，所謂「以觀興衰、治亂」。也是「以物觀物」的主要證明。

經世卷七到卷十，是邵康節特別創的音韻圖譜，也是用日、月、星、辰、水、火、土、石、清、濁、開、闢、律、呂等組成圖式，但是沒有前言，也不知是不是他用來解釋「動靜」之氣？但從〈觀物外篇〉中有四條談到音韻音律，似乎也是用四聲來合春夏秋冬，所謂「律天」、「呂地」。卷十一、十二是語錄、雜記式的說明文字，有關於年表推算者，有陰陽八卦者，可以說是前十卷的補充說明，但是看來不是很系統化，當然也談不上完整。

現在再來看他的詩。邵康節除了《皇極經世》之外，並沒有像其他學者一樣，有文集留存，他只有一部詩集叫《伊川擊壤集》。根據他的門人邢恕所寫的「康節先生伊川擊壤集後序」，知道在他去世十五年後（宋哲宗元祐六年—西元一〇九一年—六月甲子十三日），他的兒子伯溫裒類先生之詩凡若干篇，囑恕為後序，大概此時才刻書，而且他的兒子可能已作了一些整理工夫——因為我們今天看到的本子至少有二十首左右的詩題下，有年代的紀錄，這個紀錄可能是作者本人開端的，也可能是他的兒子代為排比的；假若這些詩是經過他兒子排定了年代，那麼我們可以有一部邵康節的「編年詩集」了。

《擊壤集》一共二十卷，大約有一千多首詩。前十九卷大致是編年詩，但根據我的看法，有些詩並沒有按年代排好。如第一首〈觀棋大吟〉，絕不是第一篇詩作，卻可能有些像要配合皇極經世特作的一篇！有紀年的第一首是〈過澠寄鞏縣宰吳秘丞〉皇祐元年（西元一〇四九年），他三十九歲；到嘉祐元年（西元一〇五六年），七、八年後，才漸漸詩多起來。其中一定有很多詩邵伯溫也不清楚了，同時邵雍在宋英宗治平丙午（四年，西元一〇六六年）中秋作詩集序是五十六歲，便有詩集，可見詩已不少，但今本看來，一定有詩排得不對，或者早年詩作被刪了（今之首尾吟即不見），但我們仍認為這是一本邵康節的生活史詩。其中有他的生活紀實，有他的思想顯現，有他的詩歌理論，活生生地反映了他的一生。實在是讓我們讀了《伊川擊壤集》，好像邵康節就在眼前！

在他的詩集的末一卷，比較特殊，有一百三十四首首尾吟（題下作一三五首，但各本都只有一三四首），都是七言八句似律非律的古風體的詩，這大概也就是邢恕後序裏的「裒類」的「類」吧。因為這一組詩自成體系，邵伯溫也不好分年編進一般詩裏去。所以特別組成一卷！這一三四首有個共同特點，就是頭一句與末一句都用「堯夫非是愛吟詩」這句話，所以就成了一種特殊詩體，在文學史上這種做法，怕是他的獨創了（我們在《中文大辭典》三十七冊二四九頁，查到有「首尾吟」，舉的是邵雍及另一人陳舜道，有如此樣子的首尾吟；但陳舜道，我沒查考他的資料）；而有的詩全部都用齊、微、支的韻部，也是一種特意的寫作。

在一三四首的詩裏，我們從詩句中也發現是有年歲記載的。我們用一、二、三、四……把一三四首編個號碼，那麼我們可以看出：第十二首是六十一歲、三十一首六十二歲、五十首六十三歲、七十一首六十四歲、九十一首六十五歲、一一九首六六歲、一三〇首是六十七歲的文字。所以可以知道這組首尾吟是從六十一歲他於《皇極經世》完成後，每年寫下二十首左右，積成他的此一傑作。我今天就利用他的詩集來簡單介紹邵康節的思想基礎及其文學理論。

四、邵雍的思想與其詩

我們知道，文學作品是作者的生活寫實、思想表現，即中國古代所謂的「在心為志，發言為詩」。邵雍是把這個思想發揮得很透徹，這在他的詩集自序裏可以知道，他的〈無苦吟〉（十七卷四、a）、〈談詩吟〉（十八卷、一一七a）也說得十分清楚，我們可以直接看出他作詩的標準及主張。所以他的詩，他自己作了個介紹，就是〈閑行吟〉（十八卷、一〇五a），這是非常正確的。

看完了他的詩，我們第一個直覺：他是一位儒家，基本儒家思想非常深厚。他讀《易》、讀《書》、讀《春秋》、讀《詩》、讀歷代史，稱三皇五帝、堯、舜、禹、湯，所謂「閱史悟興亡，探經得根源，探古人遺事，拾前世遺編……」（卷一、九b寄謝三城太守韓子華舍人）。他於是用《易經》的象理、及干支的數，組合成的推算曆法的基數，作出了事有本末、物有終始的《皇極經世》第一部份數的理論。而馮友蘭在《中國哲學史》八四九頁說：「上文謂宗密引《具舍論頌》以講世界之成、住、壞、空……康節之世界年表。蓋亦取佛學中所說〈刼〉之意，而以六十四卦陰陽消息說明之……。」這個推論似乎下得太快，說邵雍有部份「禪宗話題」思想是有可能，但說他直襲宗密所提的八四〇〇〇歲減到一〇歲再加百年加一歲升到八四〇〇〇的小刼，二十小刼為一中刼（成、住、壞、空）四中刼為一大刼，基本態度上就不一樣，同時他也不十分欣賞佛家，這可從他首尾吟的第二十九、三十八及（十三卷、四〇b）的〈皇極經世一元吟〉、〈首尾吟之一〉（十卷、一四五a）的〈樂物吟〉可以看出。

以下譯出他的七首詩作，供各位欣賞：

1無苦吟　2閑行吟　3言默吟　4逍遙吟

5說天吟　6夢中吟　7首尾吟第29　（原文譯文見後）

附錄：邵雍年表及其紀年詩作

邵雍及其擊壤集

（法語報告）

La vie de Shao-yong

Les matériaux historiques concernant Shaoyong ne sont pas tres abondants. Grâce à sa biographie dans le song-shi (Biographie N° 186) ainsi que dans le Tao-xuezhuan et finalement la stèle funéraire que lui fit Cheng-hao (1032-1085), nous apprenons avec une certitude relative les dates de sa naissance et de sa mort. De plus, dans un poème consacré à son propre anniversaire, Shao-yong nous dit qu'il est né la quatrième année de l'ère Da-yong nous dit qu'il l'empereur Zhen-zong des Song, soit très exactement le 22 janvier de l'an 1012.

Il était originaire de Fan-yang, dans la province de He-bei. Son père, dont le prénom était Gu, s'établit à Gong-cheng dans le He-man, où il mourut.

Shao-yong fut un enfant doué pour l'étude, montrant un énorme appétit de lecture. Sa famille était pauvre, manquant, comme on dit, de chauffage en hiver et d'éventails en été. Après des voyages dans le centre de la Chine, il s'établit comme simple particulier à Gong-cheng, où il fréquente le célèbre Li Zhi-cai, alors préfet de Gong- cheng, qui étudie la numérologie. A trente-huit ans, il va s'établir à Luo-yang, la capitale, tout en continuant ses randonnées dans les sites célèbres du nord de la Chine. En 1056, sa rénommée de sage le fait appeler à la cour, mais il refuse de s'y rendre. A Luo-yang même, il se construit un ermitage qu'il appelle "le Nid du Bonheur paisible". L'année suivante, son fils, qui devait devenir également un savant célèbre, vient au monde.

A Partir de 1062, Shao-yong s'établira définitivemnt en tant que sage reclus et, tout en étudiant les grand classiques, il se met à écrire de très nombreux poèmes. Bientôt, circulera un recueil de ses poèmes intitulé Yi-chuan Ji-rang-ji. A soixante ans, il achè vera son oeuvre la plus célèbre, le Huang-ji-jing-shi, titre qu'on doit traduire par "chronologie à partir du principe suprême". L'achève-ment de cette oeuvre est célèbre dans un poème et, en mêmetemps, il commencera une oeuvre pöetique exceptionnelle dont nous parlerons plus loin, le Shou-wei-yin, titre intraduisible signifiant littéralement "Chant du début et de la fin" et qui a comme particularité que chaque strophe commence et se termine par le même refrain.

Or, à cette époque, Wang An-shi était premier ministre. Ses réformes mécontentaient bien des lettrés, comme par exemple Si-ma Guang, dont Shao-yong partageait les opinions. Un autre lettré célèbre de son entourage fut cheng-hao. Ges hommes ill-ustres, pour témoigner leur attachement au sage, achetèrent sa maison et lui firent cadeau. Son fils se présenta aux examens impériaux, mais échoua. Tous ces événements de sa vie sont célè brés par des poèmes. On y voit qu'il donnait à sa résidence des noms évocateurs comme "Enclos du Dao-de", "Pavillon des Phénix", "Grotte de longue vie", "Nid du Bonheur paisible", "péri-style du Palais céleste", etc.....

Les poèmes des dernières années de sa vie nous le montrent, le matin, faisant des offrandes d'encens et pratiquant la méditation; le soir, buvant du vin jusqu'a l'ivresse. Les jours de beau temps, il sort en pousse-pousse. Il ne manquait pas d'être partout chaleur-eusement accueilli. Tout le monde s'empressait de l'inviter au cri de "Voice notre mâitre qui arrive" .

Il meurt en 1067. Neuf ans plus tard, il fut canonisé sous le nom de Mâitre Pur et Vigoureux.

Les études consacrées à Shao-yong

Dans l'é tat actuel de mes connaissances, il semblerait que Shao-yong ait été peu étudié mais j'ajoute que, pour l'instant, je n'ai pas fait de recherches trés approfondies.

Feng You-lan, dans son histoire de la philosophie chinoise, lui consacre une vingtaine de pages, surtout afin d'établir sa place dans l'é volution philosophique de son é poque et, de mê me que tous les autres historiens, il ne souffle mot de sa grande oeuvre poé tique. G'est a peine si Yoshikawa Kojiro le mentionne dans son histoire de la poésie sous les Song et ceux qui se sont occupés d'histoire litté raire en Chine l'ont entierement ignoré . Somme toute, le seul commentaire sur son oeuvre est celui que son fils a fait de sa grande chronologie.

Les oeuvres de Shao-yong

La biographie du Song-shi mentionne quatre ouvrages: le HJJS, le Guan-wu-pian, "la discussion du pêcheur et du bûcheron" et les oeuvres poé tiques; mais, dans les é ditions qui nous sont actuellement accessibles du HJJS, il appraît que le titre de Guan-wu-pian concerne en réalité une subdivision de cet ouvrage et n'est donc nullement un ouvrage séparé. Je n'ai pas encore lu " la discussion entre le pêcheur et le bûcheron" , quant aux oeuvres poétiques et au HJJs, ils figurent dans le Dao-zang actuel. Le Si-bu-cong-kan contient aussi une autre édition des oeuvres poetiques.

Commencons par le HJJS. Bien que je connaisse ce titre, je n'avais kpas encore parcouru le livre, mais, récemment, ayant étudié les poèmes, je me suis vu obligé de parcourir entièrement cette oeuvre. G'est un ouvrage important divisé en douze livres; chaque livre etant à son tour divisé en trois chapitres; chaque chapitre é tant divise en paragraphes qui s'appellent Guan-wu-pian, c'est-à-dire des paragraphes de l'observation des ê tres. L'oeuvre est ainsi composé e de cinquante pian. Dans l'é dition actuelle, l'ordre de ces pian a été remanié et il semblerait aussi que certaines parties soient perdues. Il paraît qu'une autre édition du HJJS figure dans le SBCK. Je me propose de collationner ces deux éditions dans l'avenir.

Les trente-quatre premiers piqu du HJJS sont consacrés à une chronologie numé rologique de l'é volution du monde. Gette chronologie est subdivisée en périodes appelées Yuan, c'est-à-dire: cycle huei: époque, yun: révolution et finalement, shi: génération.

Dans le livre de Feng You-lan, cette chronologie est expliquée en détail. Il suffit de remarquer ici qu'un cycle se compose de 129, 600 ans (cent vingt neuf mille six cents ans). Dans cette grande pé riode qui ne touche pas encore à son terme, l'histoire de la Chine, évidemment, n'occupe qu'une petite partie, mais, dans la mesure où cette période est subdivisée en périodes plus brèves la plus petite étant la génération de treente ans, l'auteur s'efforce de faire concorder les événements saillants de l'histoire avec ces diffé rentes périodes. Ainsi, depuis les empereurs de l'antiquité, tous les grands événements de l'histoire ont été notés et qualifiés d'alternance d'essor et de déclin. L'auteur qualifie cette méthode de classification d'observation par les phéno mènes Yi-wu-guan-wu, c'est-à-dire: observer clairs êtres par les êtres.

En plus de cette chronologie, une partie de l'ouvrage est consacrée a la phnologie. Une phnologie où les sons sont également classifiés d'après les astres ou les éléments. Il n'y a aucun commentaire à ce travail et nous ignorons, pour l'instant, quel é tait le but de cette recherche.

La dernière partie de l'ouvrage est consa- crée à des propos recueillis où ces recherches chronologiques, phonologiques et cosmologiques sont expliqué s en profondeur, sans qu'on puisse cependant parler d'un exposé systé matique. Il semlerait qu'ici aussi la version actuelle soit incomplête.

Parlons maintenant des poêmes.

C'est d'abord par leur présentation que ces oeuvres poêtiques se distinguent des autres recueils d'oeuvres lit-té raires de contemporaires.

Dans sa rédaction actuelle, ce recueil parait avoir été élaboré aprè s la mort de Shao-yong par son fils Bowen . Ce dernier a classé tous les poèmes dans un ordre chronologique, ce qui nous permet de suivre non seulement les événements de la vie du Maître mais aussi l'évolution de sa pensée.

Le recueil en vingt chapitres comprend plus de mille poémes. Cependant, l'ordre chronologique ne paraî t pas ê tre toujours strictement observé Ainsi, le premier poè me intitulé "grand chant de l'observation du Qi" -il s'agit du jeu connu en occident sous le nom de go-n'est certainement pas le plus ancien poème de Shao-yong, mais il doit cette place d'honneur au fait qu'il s'agit d'une glose poétique des recherches sur les alternances de la fortune qui se trouvent dans le HJJS.

Le premier poème daté est celui envoyé en 1049 à un fonctionnaire local appelé "le vice-secrétaire général Wu" . A cette époque, Shao-yong avait trente-huit ans; mais, comme nous l'avons dit, sa grande production poétique ne commence que sept ou huit ans plus tard. De la production de ces années-là, il semble qu'un grand nombre de poèmes ne sont pas à leur place. D'ailleurs, c'est en 1066 que Shao-yong publia lui-même la première version de ses oeuvres poétiques selon les critères qui nous sont inconnus. Ce n'est que pour les poèmes postérieurs que son fils a cherché à maintenir un certain ordre chronologique.

Néanmoins, nous persistons à voir dans les oeuvres poétiques une sorted'histoire de vie de Shao-yong; car on y trouve des poèmes relatant des événements de sa vie illustrant sa.pensée du moment ou des poèmes qui sont une forme de réflexion sur son oeuvre. Ces poèmes mettent sa vie en relief dans une lumière si vive que, en lisant Jiran-ji, c'est comme si on voyait Shao-yong en chair et en os devant soi.

Le dernier chapitre de ses oeuvres poétiques est entièrement consacré à une oeuvre profondément originale: "Le chant du dé but et de la fin" (Sou-wei-yin). Il est composé de cent trente-quatre strophes. Les différentes postfaces parlent toujours de cent trente cinq, mais, en réalite, toutes les éditions n'en ont que cent trente quatre. Les strophes sont invariablement composées de huit vers de sept pieds en rimes libres comme les poésies à l'ancienne.

Ce long chant forme un tout, mais il a manifestement été écrit au cours de nombreuses années. A cause de son unité, au lieu de l'inté grer dans un ordre chronologique, le fils de Shao-yong a pré fé ré en grouper toutes les strophes dans ce dernier chapitre.

La particularité de cet ensemble est que chaque strophe commence et finit par le même refrain dont la traduction est: " Yao-fu n'aime pas déclamer la poésie" . (Yao-fu, c'est-à-dire: sujet de Yao, est le nom que l'auteur s'est donné à luimê me). Gette forme de composition poétique paraît avoir été inventé par Shao-yong et avoir é té utilisée uniquement par lui. Les dictionnaires mentionnent encore un certain Chen Shun-dao qui aurait adopté cette technique. Jusqu'ici, je n'ai pas encore fait de recherches à propos de ses poémes qui, par ailleurs, me paraissent aussi être d'une forme bien particulière.

Je viens de dire que les strophes du Shouwei-yin ont été écrites au fil des années. La douzième strophe a été écrite lorsque Shao-yong avait soixante ans, la trente et unième à soixante et un ans, la cinquantieme à soixantedeux ans, la soixante et onzième à soixante-trois ans, la quatre-vingt-onzième à soixante-quatre ans, la cent dix-huitième à soixante-cinq ans et la cent trentième à soixante-six ans, c'est-à-dire que, pendant les dernières années de sa vie, il devait écrire environ une vingtaine de strophes par an.

Cette grande oeuvre poétique témoigne, en quelque sorte, de la vie et de la pensée de l'auteur à la fin de sa vie. Cest une conclusion magistrale de son oeuvre.

Enfin, je voudrais maintenent vous présenter quelques poèmes que j'ai choisis afin d'illustrer les différents aspects de la pensée de Shao-yong.

Nous, en Chine, nous considé rons la litté rature comme le reflet réel de la vie et de la pensée de l'auteur, "l'inten-tion du coeur s'exprime dans la poé sie" . Cette pensé e est particuliè rement présente chez Shao-yong, par exemple, dans son poème " Le chant de l'absence de douleur" .

Dans un autre poème, "Le chant de la promenade paisible" , il introduit ses propres conceptions de la littérature. La première impression ressentie en lisant les poèmes de Shao-yong est que ce poète est, au fond, un confucianiste. Il étudie les classiques et l'histoire, il médite sur les raisons fondamentales de l'essor et du déclin des epoques, empruntant, comme on l'a vu, les symboles du Yi-jing et de la science numérologique, il construit un système sur l'évolution du monde. Feng-you-lan parle à ce propos d'une inglu-ence bouddhique. Il pense que la conception des périodes de Shao-yong correspond à la théorie des Kalpa. Or, a mon sens, il s'agit là d'une conclusion hâ tive. Certes, l'oeuvre de Shao-yong nous montre qu'il a subi des influences du bouddhisme chan, bien que, par ailleurs, il montre aussi qu'il n'aime pas trop le bouddhisme. Mais la thé orie des Kalpa est, en tout cas, très diffé rente de la conception de Shao-yong pour qui l'univers connu se ré sume en une seule grande pé riode, qui est d'ailleurs loin de toucher à sa fin.

Maintenant, je vais vous lire quelques poèmes:

Poèmes:

—Chant de la parole et du silence

—Chant de la liberté

—Chant du Ciel Antérieur

—Chant du rêve

—N° 29 du Shou-wei-yin

Chant de l'absence de douleur
無苦吟

Mes chants ne sont jamais douloureusement faits
car dans mes écrits je ne cherche pas la prfondeur.
En laissant glisser mon pinceau en harmonie avec mon esprit,
il se crée des poèmes qui sont l'écriture de mon coeur.
C'est de cet univers de mon coeur que jaillissent mes poèmes,
mon pinceau a ses racines dans le jardin de mon esprit.
Je me rejouis dans la joie de ma joie,
cette joie toute pure, immaculée!

平生無苦吟，書翰不求深。
行筆因調性，成詩爲寫心。
詩揚心造化，筆發性園林。
所樂樂吾樂，樂而安有淫？

Chant de la parole et du silence
言默吟

Devoir se taire et cependant parler,
ces paroles sont des impurtes.
Devoir parler et cependant se taire,
ce silence devient une souillure.
Mais si l'on se refuse à l'obligation
soit de parler soit de se taire,
Comment ces souillures pourraient-elles vous atteindre ?

當默用言言是垢，當言任默默爲塵。
當言當默都無任，塵垢何由得到身。

Chant de la promenade paisible
閑行吟 卷七

Je pense toujours à lépoque où je nettoyais notre vieille maison, ne laissant jamais les mauvaises herbes s'installer
devant notre porte.
Comme je voulais devenir le plus grand tueur de dragon du monde,
je m'adonnais à la lecture des livres populaires,
qui ne sont pas ceux des sages.
Ayant compris les signes fastes et néfastes, j'appris à avancer ou à reculer.
Ayant vu les symboles du Ciel et de la Terre, je sus distinguer qui est important de ce qui est négligeable.
Mais ce n'est qu'à partir du moment où je compris le sens du grand cycle que, dans ma poitrine, plus aucun souffle ne divaguait.

長憶當年掃弊廬，未嘗三徑草荒蕪。
欲爲天下屠龍手，肯讀人間非聖書。
否泰悟來知進退，乾坤見了識親疎。
自從會得環中意，閑氣胸中一點無。

Chant de la liberte
遙逍吟 卷七

Ma voie qui est toute plane, peu nombreux sont ceux qui veulent l'emprunter.

Pour ceux qui l'ont comprise, elle est insipide.

Pour ceux qui y perdent pied, il s'ouvre un gouffre profond.

Ceux qui n'ont pas encore percé (les secret du Giel et de la Terre), Comment pourraient-ils comprendre la Vie et la Mort ?

Il suffit d'avoir saisi ne serait-ce qu'une chose

pour que tout devienne spontanement clair.

吾道本來平，人多不肯行。

得心無後味，失腳有深坑。

若未通天地，焉能了死生。

向其間一事，須是自誠明。

Chant du Giel Anterieur

先天吟 十七卷

Si tu demandes quel est le Giel Anterieur,

je reponds par un seul mot: neant;

Dans ce Giel Postérieur, il faut vraiment s'appliquer.

Extirper les montagnes, ou construire un toit sur le monde,

disons qu'avec du talent et de la force, on y arrivera.

Mais pour arriver au Giel Antérieur,

le moindre effeot vous égare.

若問先天一字無，後天方要著功夫。

拔山蓋世稱才力，到此分毫強得乎。

Chant du reve

夢中吟

On parle toujours de rêves dans cette vie de rêve,

mais qui sait quelle est la pensée parès l'éveil ?
Geux qui ignorent qu'aujourd'hui est également un rêve;
quand ils parlent, cela fait un reve de plus.

夢裏常言夢，誰知覺後思。
不知今亦夢，更說夢中時。

N° 29 Shou-wei-yin
首尾吟第29首

Je n'aime vraiment pas faire de chants
mais lorsque je lis l'Histoire,
Ces demeures anciennes transformées en mille rêves,
La plaine du milieu réduite à un échiquier,
l'éclat glorieux des trésors de Tang et de Yu,
les herbes folles sur les champs de bataille de
Tang et de Wu, tant de choses du passé semblables à celles
qu'on voit aujourd'hui,
vraiment, je n'aime pas faire de chants.

堯夫非是愛吟詩，詩是堯夫詠史時。
曠古第成千覺夢，中原都入一枰棊。
唐虞玉帛煙光紫，湯武干戈草色萋。
覩古事多今可見，堯夫非是愛吟詩。

（本文作者爲國家文學博士，中國文化學院華岡教授兼中文系主任。）

邵雍年表

西元	干支紀年	帝王紀年	邵雍年齡	大事記	擊壤集紀年詩作
960	庚申	太祖 建隆元年		春正月末太祖稱帝。	
961	辛酉	二年		秋七月宋罷石守信等典禁兵。	
962	壬戌	三年		趙普為樞密使。	
963	癸亥	乾德元年		春正月以文臣知州事。	
964	甲子	二年		趙普為相，薛居正、呂餘慶為參知政事。	
965	乙丑	三年		蜀主孟昶降。	
966	丙寅	四年		僧人行勤等一百七十七人赴天竺求佛書。	
967	丁卯	五年			
968	戊辰	開寶元年		春三月覆試進士，李繼勳伐北漢無功。	
969	己巳	二年		冬十月罷王彥超等節度使。	
970	庚午	三年		春正月徵處士王昭素為國子博士。	
971	辛未	四年			

972	壬申	五年	夏五月大雨河決，出宮人。
973	癸酉	六年	春三月葬周恭帝，初殿試貢士。
974	甲戌	開寶七年	秋九月遣曹彬伐江南。
975	乙亥	開寶八年	十一月克金陵江南主李煜降，南唐亡。
		太　宗	
976	丙子	太平興國元年	冬十月太祖崩，弟光義即位，是為太宗。
977	丁丑	二年	二月帝更名炅，婆羅洲遣使來貢方物。
978	戊寅	三年	春二月立崇文院藏書八萬卷。秋命儒臣編太平御覽及廣記。
979	己卯	四年	統一中國；八月，兄子德昭自殺。帝親征遼，大敗遼於高粱河。
980	庚辰	五年	三月楊業敗遼兵於雁門。
981	辛巳	六年	九月以趙普為司徒兼侍中。女真入貢。
982	壬午	七年	秋九月遼主耶律賢卒，子隆緒繼立復號契丹。
983	癸未	八年	五月河決，六月大水，十月趙普罷相，

			遼復國號為契丹。
984	甲申	雍熙元年	春正月求遺書。
985	乙酉	二年	秋九月廢長子楚王元佐為庶人。
986	丙戌	三年	夏楊業戰於陳家谷，遼大舉入寇。
987	丁亥	四年	募諸州兵伐遼。
988	戊子	端拱元年	春二月李昉罷相，五月作秘閣。
989	己丑	二年	春正月遼陷易州， 八月尹繼倫大敗遼師於徐州。
990	庚寅	淳化元年	冬十二月遼封李繼遷為夏國王。
991	辛卯	二年	秋七月李繼遷請降，賜名趙保吉。
992	壬辰	三年	秋七月趙普卒。召終南隱士种放不至。
993	癸巳	四年	交州入貢封為交阯郡王。
994	甲午	五年	秋高麗請伐遼，詔止之。 九月以襄王元侃為開封府尹，寇準參政。
995	乙未	至道元年	秋八月立元侃為皇太子更名恆。
996	丙申	二年	

997	丁酉	三年		春正月分天下州軍為十五路。三月帝崩，太子即位，復封元佐為楚王。
998	戊戌	真　宗 咸平元年		真宗即位，冬十月張齊賢、李沆相、宋祁生。遼耶律休哥卒。
999	己亥	二年		夏六月曹彬卒。秋初置翰林侍讀侍講學士，令邢昺等校諸經。
1000	庚子	三年		帝至大名親禦契丹。
1001	辛丑	四年		趙保吉反。
1002	壬寅	五年		梅堯臣生。
1003	癸卯	六年		夏主趙保吉歿，子德明即位。
1004	甲辰	景德元年		十二月，澶淵之盟，許遼歲幣；富弼生。 ▲雲麓漫鈔：藝祖御筆：「用南人為相、殺諫官、非吾子孫！」
1005	乙巳	二年		秋七月增置制六科；十一月遼來聘。
1006	丙午	三年		春二月罷寇準知陝州，置諸州常平倉，王旦為相。
1007	丁未	四年		歐陽脩生；十二月詔禮部糊名考試舉人。

1008	戊申	大中祥符元年		王欽若偽造天書：十月封祀泰山，幸曲阜孔廟；詔建玉清照應宮。	
1009	己酉	二年		下詔禁讀非聖賢書。	
1010	庚戌	三年		陝州黃河清，重修天下圖經。四月，仁宗生；遼伐高麗。	
1011	辛亥	四年	邵雍生一歲	邵雍生於河北范陽（今大興）。六月江淮大水。	生日吟：祥符辛亥十二月廿五日辛丑月甲子日甲戌辰。
1012	壬子	五年	二	蔡襄生　高麗降遼。	
1013	癸丑	六年	三	楊寘生。	
1014	甲寅	七年	四	正月祀老子於太清宮，詔修寶訓。	
1015	乙卯	八年	五	范仲淹第進士。	
1016	丙辰	九年	六		
1017	丁巳	天禧元年	七	八月王欽若相。	
1018	戊午	二年	八	時天下無事，許臣僚擇勝宴飲。晏殊知制誥，立皇太子，更名順。	
1019	己未	三年	九	寇準相、張載生、司馬光生、曾鞏生、宋敏求生、韓縝生。	

1020	庚申	四年	十	高麗求成於遼，罷寇準，相丁謂。
1021	辛酉	五年	十一	吐蕃來降。十一月十二日王安石生。
1022	壬戌	乾興元年	十二	正月改元。 二月戊午真宗崩，遺詔劉后權處分軍國事。 仁宗二月即位，八月太后御殿同聽政。 十一月辛巳起孫奭晏殊侍講論語。
1023	癸亥	仁　宗 天聖元年	十三	寇準卒於雷州，王曾為相。 三月成崇天曆，冬十一月禁巫覡邪術。
1024	甲子	二年	十四	三月王欽若上真宗實錄，加司徒。 張先第進士，八月帝至國子監謁孔子。 十一月丁酉祀天地於圜丘。
1025	乙丑	三年	十五	夏五月幸御莊觀刈麥。
1026	丙寅	四年	十六	京師大水，夏五月遼伐回鶻。
1027	丁卯	五年	十七	苦旱，晏殊罷相；夏竦為樞密副使。 晏殊創應天府書院延范仲淹以教生徒。
1028	戊辰	六年	十八	林逋卒；西夏趙德明使其子元昊取回鶻。 十二月甲子范仲淹為秘閣校理。
1029	己巳	七年	十九	宋祁為國子監直講，十一月出范仲淹通判

				河中；富弼娶晏殊次女。
1030	庚午	八年	二十	沈括生，富弼中制科。歐陽脩試禮部第一，張先、刁約、石介第進士。
1031	辛未	九年	二一	遼興宗宗真立，改元景福，蕭后治事。
1032	壬申	明道元年	二二	晏殊參知政事。 二月，李宸妃薨。 劉恕生。
1033	癸酉	二年	二三	夏王趙德明卒，子元昊立。 三月甲午劉太后崩，仁宗親政。 程頤生、呂夷簡復相。
1034	甲戌	景佑元年	二四	柳永登第，遼主幽其母蕭氏於慶州。
1035	乙亥	二年	二五	命李照重定雅樂， 十二月吐蕃敗元昊於河湟。
1036	丙子	三年	二六	十二月十九日蘇軾生， 元昊取回鶻之瓜沙州。
1037	丁丑	四年	二七	十一月改元，王隨、陳堯佐相，地震。
1038	戊寅	寶元元年	二八	元昊稱大夏帝，改元延祚。
1039	己卯	二年	二九	二月廿六日蘇轍生。

1040	庚辰	康定元年	三十	正月西夏元昊入寇延州。 韓琦安撫陝西，晏殊知樞密事。	擊壤集自序：自予壯歲，業於儒術。宋史卷四二七：雍遊河南，葬其親（祖母）伊川上（蘇門山之百源）
1041	辛巳	慶曆元年	三一	范仲淹、韓琦禦西夏，關右大地震。 十一月改元。歐陽脩攝太常博士。	
1042	壬午	二年	三二	三月王安石第進士第四（楊寘一、王珪二、韓絳三），以大名府為北京。 四月契丹求關南十縣地，富弼報之。	
1043	癸未	三年	三三	范仲淹、韓琦為執政，歐陽脩、余靖、蔡襄為諫官，四月，元昊求和，自稱為子。	
1044	甲申	四年	三四	遼伐夏，十月夏人敗之，遼夏平。 冊趙元昊為夏國王。	
1045	乙酉	五年	三五	正月 宋庠參知政事。 三月，韓琦罷知楊州，安石簽書判官事。 黃庭堅生。	
1046	丙戌	六年	三六	五月甲申，雨雹：河北、河東、京東地震。 周敦頤任安南司理參軍 （明道十五，伊川十四）	冬病歸自京師。

1047	丁亥	七年	三七	歐陽脩在滁州。 三月大旱，東南饑饉，汴水又絕。	集外詩：共城十吟。
1048	戊子	八年	三八	閏正月，文彥博同平章事。 夏元昊卒，子毅宗諒祚立，封夏王。	
1049	己丑	皇佑元年	三九	正月歐陽脩知穎州，宋庠相。 詔省兵。 文彥博為昭文館大學士。 龐籍為樞密使。 廣源州儂智高叛。 契丹伐夏，執諒祚之母歸。 秦觀生。	過溫寄鞏縣宰吳秘丞居洛？
1050	庚寅	二年	四十	晏殊知永興軍，冬更定雅樂。	
1051	辛卯	三年	四一	趙令畤生，夏竦卒。	
1052	壬辰	四年	四二	五月范仲淹卒徐州，年六十四。 賀鑄生。 胡瑗為國子監直講。 九月狄青討儂智高。	
1053	癸巳	五年	四三	狄青平儂智高於邕州。 陳師道、晁補之生。	

1054	甲午	至和元年	四四	四月朔改元。 九月，歐陽脩遷翰林學士兼史館編修。	
1055	乙未	二年	四五	封孔子裔孫愿為衍聖公。 遼主卒子洪基立，劉敞使契丹。 晏殊卒。 曾公亮參知政事。 六月富弼、文彥博同拜相。	學生姜愚為娶婦王氏。 歲末生子伯溫。
1056	丙申	嘉祐元年	四六	九月大赦改元，韓琦知樞密事。 包拯知開封府。	依韵和張元伯職方歲除及新正。
1057	丁酉	二年	四七	歐陽脩知貢舉。 七月蘇軾試第三。 周邦彥生。	生男吟：「我本行年四十五，方始生男為人父。」閑吟四首：有「居洛八九載」。
1058	戊戌	三年	四八	安石為度支判官，上萬言書。 六月，文彥博、賈昌罷相。 歐陽脩為龍圖閣學士權開封府。 包拯為御史中丞。	過陝。
1059	己亥	四年	四九	召河南處士邵雍不至。	奉詔不至。
1060	庚子	五年	五十	下詔求賢。 五月，安石為三司度支判官。	新正吟。 旅中歲除。

1061	辛丑	六年	五一	梅堯臣卒，五十九歲。 六月遼新置國子監，七月歐陽脩上新唐書。 王安石知制誥。 司馬光知諫院。 宋祁卒。 八月韓琦、曾公亮相。 歐陽脩參知政事。 王安禮登進士。	和商守新歲。 秋懷三十六首：「不負仁義心，區區五十一。」
1062	壬寅	七年	五二	夏四月包拯卒。 八月立皇太子。 十月詔賜諸路錢助羅常平倉。	卜居　居述述事　新春吟　弄筆。 答喻世事如棋　天津新居成謝府尹王君貺尚書。
1063	癸卯	八年	五三	三月，仁宗崩。 四月，英宗即位，曹太后權聽政。 九月，上仁宗謚；十月，葬永昭陵。 八月王安石丁母憂。 宋建國百年。 遼主叔父重元反，兵敗自殺。	後園即事：「年來得疾號詩狂」。登嵩頂。 雍有聞鵑事，蔡上翔以為偽。
1064	甲辰	英　宗 治平元年	五四	正月丁酉朔改元；五月，后還政於帝。 吐蕃乞內附。 王安石居喪江寧，作處州學記。	

1065	乙巳	二年	五五	夏人犯邊。 七月富弼罷相，文彥博為樞密使。 八月京師大水。 詔議崇奉濮王典禮。	
1066	丙午	三年	五六	蘇洵卒，五十八歲。 十一月英宗疾。 十二月立太子。 契丹復改國號曰遼。	伊川擊壤集序：「治平丙午中秋」。何事吟寄三城富相公。 偶書。 和登封縣裴寺丞翰見寄。
1067	丁未	四年	五七	正月庚戌朔丁巳（初八）帝崩於福寧殿，三十六歲。 太子頊即位，是為神宗。 三月歐陽脩出知亳州。 閏三月，王安石知江寧府。 九月權御史中丞司馬光為翰林學士；蔡襄卒。	丁未休秋遊洛川。
1068	戊申	神宗 熙寧元年	五八	四月詔翰林學士王安石越次入對。 正月甲戌朔改元。 七月賜布衣王安國進士及第。	閑適吟。 傷二舍弟無疾而化（邵睦）。 自憫。 戊申自貽。
1069	己酉	二年	五九	二月庚子王安石參知政事，行新法。	代書寄北海幕趙充道太傅。

				富弼為同平章事。 六月呂誨公著論安石十事。 十月罷富弼為武寧軍節度使，判亳州。 置三司條例司。	花月　詔三下答鄉人不起之意。 長吟　和王安之少卿。 短吟　儒。
1070	庚戌	三年	六十	三月策試進士、置刑法科。 行青苗法。 四月程顥罷為京西路提點刑獄。 韓琦為河北安撫使。 歐陽脩知青州，上論青苗。 韓絳、王安石並同中書門下平章事。 孫覺、呂公著、張戩、程顥、李常上疏極言新法。十二月立保甲法。	風吹木葉吟。 代書寄南陽太守。 無酒吟。 代書寄程正叔。 和人聞韓公出鎮永興過洛。 逍遙吟。
1071	辛亥	四年	六一	二月改法罷諸科，分經義策論取士。 四月王安石專政。 六月蘇軾判餘杭。 六月歐陽脩以太子少師致仕，六十六歲。 冬立太學生三舍法。	歡喜吟。 安樂窩自貽。 冬旱。 大寒。 書皇極經世後。 首尾吟一—十二。
1072	壬子	五年	六二	行市易、保馬、策熙河堡砦。 三月富弼致仕。 閏七月歐陽脩卒，六十六歲。	和宋都官乞梅：「休論閑事且銜杯」仁聖吟　邢恕唱和三首 擊壤吟　司馬光唱和

1073	癸丑	熙寧六年	六三	興水利。 三月置經局。 王韶入岷州。 秋九月初策武舉。	六十二吟　富弼唱和。富相公惠竹二首　壬子初逢雪。 首尾吟十三—三十一。 安樂窩好打乖。 年老逢春。 六十三吟。 把酒。 人壽。 富弼七十歲正旦四絕。 居洛廿五年。 首尾吟三十二—五十。
1074	甲寅	七年	六四	三月行方田均稅法。 四月王安石罷知江寧府。 四月王韶破西蕃於結河川。 旱災鄭俠上流民圖。 河北京東盜起。	對花　歡喜吟　自在吟　論詩吟　男子吟。 心耳吟　天津弊居　自詠　自作真贊　乾坤吟。 一元吟　並城詩卷　憫旱　安之殊不棄堯夫。 首尾吟五十一—七十一。
1075	乙卯	八年	六五	二月王安石復相。 六月頒王安石詩、書、周禮新義於學官。 六月王安石為尚書左僕射兼門下侍郎。	六十五歲新正自貽。 負約。 長子伯溫失解。

				九月兼修國史。 六月魏國公韓琦薨。 十月呂惠卿罷知陳州。十二月討交趾。	首尾吟七十二—九十一。
1076	丙辰	九年	六六	十月安石罷判江寧府。 吳克、王珪同平章事。 十二月郭逵敗交趾兵於富良江。	生日吟　老去吟　六十六歲吟　歲除吟　觀物吟。 三十年吟　書事吟　不再吟　六得吟　夾口吟。 無苦吟　萬物吟　失詩吟　不去吟　乾坤吟。 天人吟　談詩吟。 首尾吟九十二—一一九。
1077	丁巳	十年	六七	六月王安石為集禧觀使，作洪範傳。 葉夢得生；河大決於澶州分流。 九月邵雍卒，十一月張載卒。	筆興吟　自貽吟　病亟吟。 首尾吟一二〇—一三〇。
1078	戊午	元豐元年		交趾來貢。 安石為尚書左僕射、舒國公、集禧觀使。	
1079	己未	二年		蔡確參知政事。烏臺事件。	
1080	庚申	三年		二月章惇參知政事。	
1081	辛酉	四年		李清照生。	

西元	干支	年號	事件
1082	壬戌	五年	四月曾鞏卒，六十五歲。
1083	癸亥	六年	六月富弼卒於洛陽。 王安石擬寒山，拾得詩。
1084	甲子	七年	司馬光上資治通鑑。 五月以孟軻配孔子。 蘇軾由黃州奉旨授汝州團練副使。
1085	乙丑	八年	太后聽政罷新法。 三月上崩。 王安石為司空。 章惇知樞密院。 司馬光為門下侍郎。 呂公著為尚書左丞。
1086	丙寅	哲宗 元祐元年	四月，王安石卒，年六十六。 程頤上疏。 司馬光相。 章惇罷。 九月司馬光卒，六十六歲。
1087	丁卯	二年	
1088	戊辰	元祐三年	

1089	己巳	四年			
1090	庚午	五年		程顥卒年，八十五歲。	
1091	辛未	六年		夏六月甲子十三日，原武邢恕作康節先生伊川擊壤集後序。	
1092	壬申				
1093	癸酉				
1094	甲戌				
1095	乙亥				

（原載於　世界華學季刊 1:1，1980.03，頁 45-71）

漢學研究在歐洲

從西元一世紀（東漢和帝永元九年，西元九十七年）班超派他的部將甘英前往大秦（古之羅馬），雖未到大秦，但中國人總是有心西向探索另一「天下」。而在第二世紀，東漢桓帝延熹初年（西元一五八年），大秦王安頓遣使來中國，這是歷史上中西交通的開端；自此以後，又消息沉淪，直到十三世紀意大利商人柯羅，於一二六〇年來中國；後來，他的兒子馬可孛羅 Marco Polo（一二五四—一三三四）在西元一二七一年（南宋度宗咸淳七年，元世祖忽必烈至元八年），來到中國，居留了二十一年，寫了一本東方行紀，歷述自西徂東的旅行，盛道中國文物之盛，都市之富，宮室之美，物產之饒，引起歐洲人嚮往東方的騷動；在馬可東來之前，一二四五年，教皇伊納森曾派六十五歲的聖・法蘭西斯派的修士卡匹尼與元「大汗」交涉；而在一二四八與一二五二年，十字軍征埃及，法王路易斯先後派傳教士朗朱明，與盧布魯克到中國來，盧布魯克並在一二五三年謁見拔都，這些可算是中西交涉之始；而蒙古人的西征，造成歐洲的所謂「黃禍」，震撼了東西方！

到了十六世紀明神宗萬曆八年（西元一五八〇年）意大利耶穌會傳教士利瑪竇 Matteo Ricci（一五五二—一六一〇）來到中國，先到澳門；萬曆十一年，抵北京，在北京住了九年，研習中國的四書，並將歐西天文、曆算、大砲等科技引進中國，接著有湯若望 Abom Schall，艾儒略 Julins Alenio 等來到中國，引進西歐新知，這便是中西文化大結合起步！十七世紀時法王路易十四醉心中國，凡爾賽宮及其他貴族的宮室、城堡，充滿了中國風味的傢俱。近世紀德國萊布尼茲、哥德，法國伏爾泰等，多少都感受了一些中國色彩，像中國特有的木偶戲便是由於哥德的喜愛，而在歐洲有新的發展。雖然他們嚮往中國，幻想中國，但由歐洲人眼中來看中國，從古到今，卻是言人人殊，有讚美也有譏斥，有憧憬也有岐視。在英國牛津大學 Wadham College 的 Raymond Dawson 在一九六七年寫了一本「中國文化分析」，卻把中國比作一條「變色的龍」！·The Chinese Chameleon 也許在西方人眼中，中國人真是那麼難以捉摸，神秘得像一條「龍」！可是鴉片戰爭（西元一八三九－一八四二年）之後，中國成了「紙龍」，而他們的野心政治家便立下了「東向」政策，同時藉「考古」、「探險」為名，紛紛東來，深入亞洲腹地；從旅行到發現西陲漢晉木簡，唐人敦煌寫卷……開始了「西方漢學」的研究，直到一八六七年，中國的詩集被譯成歐文，才讓歐人知道中國文字的特色，而在各國開始研究中國的浪潮中，法國扮演了相當重要的角色。

早期歐人瞭解中國，幾乎都是從傳教士的口中一知半解地去想像，而傳教士除了幾位特殊人物之外，大都接觸的中國人，也都是文化水準不太高的，因此無論在瞭解上、文化交流上，貢獻不大，其他國家不談，現在讓我們來單說法國。

法國的漢學，根據一九一五年法國大漢學家愛都瓦·沙畹的《法國漢學小史》La Sinologie 把前期法國漢學分為：1轉述時期。2啟蒙時期。3研究時期。茲擇要敘述於下。

壹、前期概況：

一、轉述時期（一七二八—一七八三）

在此期中，中國研究，多半有賴於耶穌會傳教士，他們認識一些中國社會風俗、人情，但多浮光掠影，不夠深入，且有時失之穿鑿附會，而容易引起誤解。這期重要的人物有：

㈠卜海瑪神父 Le Père Premara 在一七二八年著了一本談中文文法的書叫《中國語範》。

㈡高比神父 Le Père Gaubil 在一七三九年寫了一本《成吉斯汗及其蒙古王朝史》；一七四九年作《中國年代史綱》；一七五三年著《中國大唐史略》，可算是一位蒙古史及中國史研究的開創者。

㈢邁亞神父 Le Père Mailla 在一七七七年譯通鑑綱目為《中國通史大綱》。

二、啟蒙時期（一八一五—一八九〇）

在這一時期，對中國的研究，不僅賴於傳教士，而且法國政府也開始有計劃地注意東方問題。一八一五年，法國在她的最高研究機構—法蘭西學院 College de France 設滿洲語、韃靼語及中國語講座，主持的人是：海繆沙特及儒蓮二位。

㈠海繆沙特 Abel Rémusat（一七八八—一八三二），他是中亞細亞研究的創始人。一八二〇年發表了《韃靼語文研究》及《和闐史》；一八二二年著《中國文法要義》；而一八三六年將法顯的《佛國記》譯為法文。

㈡儒蓮 **Stanilas Julien**（一七九九—一八七三），從一八三二年，繼海氏為法蘭西學院講座，至其一八七三年逝世為止。一八四二年譯老子《道德經》。一八五三及一八五八年譯《玄奘傳》及《西土記》為法文，用中文、梵文、法文三種語文來作對譯；同時講求研究中文的方法，並依《翻譯名義集》，在一八六一年，發表了《梵漢語探原》一書，開中亞研究的重要階段。從一八六八到一八七〇年這三年中，潛心研究分析中國語的結構，特別注意句中的詞位作用，而著成了《中國言文結構新編》。

二位大師對中亞研究，作了很大的貢獻，當時儒氏學生及其後輩如比約 **Edouard Biot**（一八〇三—一八五〇）在一八四七年發表了《中國教育史論》，一八五一年並譯《周禮》成法文；其餘如巴善 **Bazin**（一七九九—一八六三）譯《趙氏孤兒》等中國古典劇本，保第葉 **Pauthier**（一八〇一—一八七〇）研究中國歷史及語言，亦是頗有可觀。

一八七三年以後，對中國的研究，略顯衰象，有聖丹尼斯伯爵（一八二三—一八九二）譯《唐詩》及馬端臨文獻通考中之《蠻夷考》；加卜里葉德維亞（一八四四—一八九九）對中國及越南之邊疆及該區少數民族風物之研究；安保忽亞特寫了一本《中國之研究》，注意到了臺灣、滿清朝之戰爭等問題，及有清文人袁子才的詩作。一八九四年，齊愛田神父 **Le Pere Etiennezi** 寫的《文官考試制度及武官考試制度之實施》，給法人不少啟示！

貳、主要研究時期

三、研究時期（一八九五—）

因為很難分割，所以只好與上節的子題連續敘述。在這一階段，沙畹稱它為科學研究時期，也可以說是法國漢學研究的發皇時期及黃金時代。在這期中先繼承了傳教士們的翻譯工作，像古弗歐赫神父 **Le Père Couvreur** 出版了一本《中法字典》**Dictionaire chinois-français**，這本字典它參考了王念孫父子的《經傳釋詞》，特別分辨每字之不同用法，並將其組織詞語的各種不同的意義分別列出，極為重要，使法國漢學研究與清代樸學相接合，而走進了經學史學的領域，因而幫助了漢文法譯工作，像一八九五年譯《四書》，一八九六年譯《詩經》，一八九七年譯《書經》，一八九九年譯《禮記》，……均利用此字典而翻成！

與古弗歐赫同時傳教的尚有魏蓋神父 **Le Père Weiger**，一九〇三—一九〇四年譯述中國歷史，以供普通人研讀，一九〇〇年的《字源學講義》**Lecons étymologiques**，將中國古字典《說文解字》所載之解釋譯出，一九一一年又將《道藏》中各書分類，作《道藏書目》**Catalogue du canon-taoiste**。其餘如在上海徐家匯傳教神父們，將他們的研究集成《漢學雜稿 **Variée Sinologiques** 叢刊》；其中像亞弗德神父 **Le Père Havret** 的西安府的《景教碑》**Le Stéle chetienne de Si-ngan-fou** 及蓋依亞德神父 Le Père Gaillard 的《南京城紀》，黃神父 Le Père Hoang 研究中國婚姻制度及田產制度，非常有價值，而他的《中西換算表》Concordance des chronologies néomeniques chinoises et europeeuuses（一九一〇）給予西方學者不少便利。

當然，在此階段沙畹及其四大弟子，可以說是近世法國漢學的大師，但在沙畹稍前時有一位谷第葉先生 M. Henri Cordier，他在一八七八—一八八五及一九〇四—一九〇八年印行兩版《中國研究圖書彙報》Bibliotheca Sinica，很用心地精細地將所有關於中國學問的科學成績，分別立出一個清單，對於研習者及專家們，都非常有用，谷第葉先生研究著述範圍甚廣，在一八九一年將阿多里克・德・波但農倫 Odoric de Pordennone 的遊記不惜花費很多工夫，予以詳細考證注釋後刊行，最有名的，是他的自一八六〇到一九〇〇年《中國與西方列強的關係史》Histoire des relations de la Chine avcv les Puissances occidentals de 1860 à 1900，在中西關係探討上，有很高的讚譽。一九〇九年，在現代東方語專任教的魏西野 M. Vissiere，他的《中文第一課》Prémières leçons de chinois，可以說是一本相當有價值的中文初階課本。

以上可說是科學研究漢學的準備時期，當然還有很多傳教士的著作，我們沒有詳細列上，以下我們仍須將科學研究階段分為第二次大戰前的考古時期（一八六五—一九四五）及二次戰後的分工時期，而沙畹及其四大弟子，便由十九世紀末期直到目前，開拓、奠基、發皇了法國的漢學研究的重鎮，現在讓我們來介紹考古時期的各位學者：

㈠沙畹 Édouard Chavannes（一八六五—一九二五）他與他的弟子1伯希和。2馬伯樂。3葛蘭言。4戴密微。建立了近半個多世紀法國的漢學，而且成為全世界的漢學重鎮！一八八九年，沙氏才二十四歲，到了北京，在法國駐華使館任職，可以有暇學習中文，受正式中國的教育，並且受了中國樸學的影響，對歷史起了莫大的興趣。一九〇五年，回到巴黎，因為得了我國駐法使館參贊唐復禮的幫助，開始了司馬遷的巨著—《史記》的全譯工作（五大冊）Mémoires historiques de se Ma Ts'ien。在一八九五年他作了一篇導言，來研討司馬遷的生平及其著作，兼及了《史記》的資料鑑定與司馬父子的史學創造之功，及後世補闕及注疏《史記》之諸家；由於考察史記取材，同時又譯完了《詩經》全卷；一八九三年與烈維 Silvain Levi（一八六三—一九三五）合譯佛教《高僧傳》，對「無有歷史的印度」研究，有莫大的裨益！同年並完成《兩漢時代的中國石刻》Scrupture sur pierre en Chine au temps de deux dynasties Han，注意到了漢代的石刻史料。更繼埃威德聖丹尼子爵 Le Mauquis dHervey de Saint Denys 為法蘭西學院講座，時沙氏才二十八歲。一九〇七年，他到中國旅遊考古，足跡遍歷東北各省及河北、河南、山東、陝西、山西各省，搜集古物及古碑、石刻拓品，特別對龍門與雲岡石刻雕像，或拓或照，開歐美學者研究中國石刻之始。一九一〇年發表研究中國古代封禪及民間社祭聖蹟的「泰山」，同時又出版中國三藏中所選出五百故事及箴言第一冊 Cinq cents contes et apologues extraits du Tripitaka chinois（共四冊，其餘三冊，於一九六二年由戴密微氏為其出版）；一九一三年，發表了他旅遊中國的新收獲：《北中國考古旅行記》Mission orcheolgique dans la Chine septentrionale，書中附圖及照片有四百九十八張之多；但尚非他所搜資料之全部！他曾參加中央亞細亞的考察活動，因此他搜集並譯註考證，於一九〇三發表了《西突厥史料》Documents sur les Tou-kiue occidentoux，書中採取新舊唐書、冊府元龜資料最夥，於地理之考訂，則多採《西域圖志》、《西域水道記》、《西域同文志》；及葛蘭言、斯坦因等之考察報告，熔中西史料於一爐。開世界史中「中國史料」的新紀元；一九一三年並致力於斯坦因所發現之「流沙墜簡」作考釋 Les documents chinois decourerts Par Aurel Stein dans les sables du Turkestan oriental。而要特別一提的，便是一八九〇年四月一日荷蘭萊德大學教授古斯塔夫席勒格 Gustaves Schlegel 創刊舉世矚目的 Toung-pao《通報》，一九〇四年席氏去世，則由沙氏與谷第葉共同主持《通報》，使這一刊物成為西方漢學的權威刊物，至今不衰。

㈡伯希和 Poul Pelliot（一八七八—一九四五）是沙氏的大弟子，他從一九〇〇年到河內 Hanoi 遠東學院 École Français d'Exême-Oriet，一九〇二年他的第一本著作是將十三世紀元代周達觀的《真臘風土記》予以譯註出版《真臘風土記箋註》Mémoire Sur les coutumes du Cambodge。一九〇四年，他又繼沙畹西突厥史料所考安西入西域一道（唐志入四夷七道之一）之後，又續作廣州通海夷道的研究作《交廣印度兩道考》Deux itinéroires de chine en Indes à la fin du VIII siècle，不久他去了北京，一九〇六—一九〇八年他繼斯坦因到敦煌，同著魏陽博士 Dr. Vaillant 完成一次中亞旅行，這次的收穫，可以說史無其匹，攜回了北魏至北宋間的隋唐五代人的寫卷十幾箱，其中多為精品，有部份為中文，藏文及古印度婆羅文 **Brahm** 回鶻文 **Ouigoure** 等中亞古代語言卷子五六千卷，藝術部份，現保存於 **Guimet** 紀邁博物館，而寫卷則全在國家圖書館東方手稿部（至今尚無一完整而確切的法京藏敦煌卷子詳目），一九〇九年他發表中亞細亞的語文、歷史及其考古，發表了若干卷子名稱及內含，一九一一年被任命為法蘭西學院中亞細亞語文、歷史和考古講座，他有豐富的中國典籍知識，並有語言天才，精通中亞語，因此他利用考古探險資料實證及比較語言學，考證中西交通，中亞西域南海地理歷史問題，有莫大貢獻，他並用了很長時間，將《馬可孛羅東遊記》用地理、歷史、比較語言學對音來箋註，成了六巨冊的宏篇！他又發表了《敦煌卷子目錄初稿提要》及《中國歷史語文佛教藝術考古書目提要》，並致力於佛教、道教、波斯馬俞教、景教、伊斯蘭教……的探索，伯氏的工作是多方面的，而他的成就，也是超邁前人，他涉獵廣博而考證深入仔細，他的利用比較語言學，開創了治中國四裔的史地新紀元，影響東西方的學術方向極為深遠！晚年他又致力於《多桑蒙古史》的考訂，其業目今則由其弟子韓伯詩負責。

㈢馬伯樂 Henri Maspero（一八八三—一九四五）一九〇八年至培養東方研究人員的河內法國遠東學院，直到一次大戰止，一九〇九年曾到過中國，他是一位歷史學家、語言學家，由於他長期留在河內，因此和伯希和一樣，也是一位越南文、史的專家，他研究越南歷史、語言、宗教、種族，及所謂中國及百越之關係；他跟隨沙氏治中國古史，研究中國歷史、地理、方言、宗教，對中國本土宗教亦十分措意，一九一四年，他完成了 **Mission archeologique au Tchö-kiang**（待考），一九二〇年出版了《唐代長安方言》Dialecte de Tcháng-ngan sous les Táng。一九二一年元月起，接任法蘭西講座，繼續進行沙畹的工作；一九二七年發表了《古代中國》La chine antique，實即等於中國歷史年表，第一部分從先秦至第三世紀，第二部分漢至六朝；一九二八年完成《中國現代宗教及其神秘》Mythologie de la chine moderne；一九三六年完成《斯坦因第三次中亞探險所發現之道教資料》Les documents chinois de la troisième expédition de Sir Aurel Stien en Asie Centralle，此書直至一九五三年才由戴氏為之出版，一九四五年巴黎失陷時，馬氏為德軍所害。一九七一年其同門戴密微先生彙其遺稿，整理註釋，出版《中國道教與民間宗教》及《中國政治歷史與宗教》三冊，部份已譯成日文。馬氏治學，重視宗教、社會、經濟與歷史的關係。其弟喬治馬斯貝賀 Geoges Maspero，亦是一位南越及中南半島古史專家，先後發表有：《占城王國考》、《占婆史》、《宋初越南半島諸國考》。

㈣葛蘭言 Marcel Granet（一八八四—一九四〇）他是沙氏高足，亦是法國大社會學家 Emile Dukheim的門人；還有他與伯希和、馬伯樂不同處，即是沒有去河內法國遠東學院受專業的訓練，從一九一一年到一九一三年他到北京，他一九一〇回到巴黎，即被召到高等研究院宗教科學組，跟隨沙畹工作，一九一九年他再次到北京，翌年初回到巴黎，他提出博士論文《中國古代的節日與民歌》Les Fêtes et chansons anciennes de la chine，用生動的筆調翻譯了詩經國風，獲得博士學位；一九二六年他發表一篇可以代表他回想與理論的著作：《古中國舞蹈與神秘故事》Danses et légends de la chine ancienne 用分析社會的方法來考證歷史，表示文化、歷史、社會的發展不是孤立的！一九二九年他又發表了《中國的文明》La civilization chinoises，一九三四年又發表了《中國的思想》La pensée chinoise，一九三八年又完成了《中國古代宗教信仰考述》Catégories matrimoniales et relations de proximite dans la chine ancienne。他用社會學方法，研究中古史及考偽，頗多創見，而且不久即引起不少學者的興趣。

(五)烈維 sylvain Lévi（一八六三—一九三六）關於宗教方面，研究佛教史頗有績效的，當推烈維，他專攻梵文、藏文，因此把研究重點也就轉向了印度的佛經中譯問題，一九二六年他參與譯述佛學辭典《法寶義林》Hôbôgirin，同時和他的學生林藜光（一九〇二—一九四五）開始用梵文、藏文、中文、法文來譯述佛教小乘經典：《諸法集要經》，以五年工夫，完成四大冊；在戰時由於物資缺乏，林君竟病死異國，而不為國人所知。

參、近五十年法國漢學分工

到了二次大戰前 WarII，沙畹的《法國漢學小史》稱它為科學研究時期，實則在戰前是法國漢學的黃金時代，人才輩出，成績斐然，由一知半解的傳述，走上真正深入研究中國歷史、文化、宗教，所以戴密微先生，一九六六年在東京演講，稱二次戰前為考古時期；而二次大戰悲劇造成之後，不僅瘡痍滿目，處處廢墟，而且若干漢學精英，均在此期間，或病死或遇害，造成「老成凋謝」、「零落不堪」的景況，因此一九七三年蘇米葉先生在亞洲學會年報二六一期 Tome CCLXI 以戴氏之演說稿成《五十年來法國漢學》Les Etudes Chinoises 即將科學研究時期以二次大戰為界，此前為考古時期，戰後為分工研究時期，研究面開拓較前輩為廣，分工亦細。蘇氏曾說：「在此，我們雖然只敘述這一人類大悲劇以後所崛起的漢學研究的學者，其中有若干位在大戰前即已奠定其研究基礎，而在近三數十年來才發揮其才能，然這些新人的學術權威，已不能如他們已故的三位老師那樣超群，也不能如其師長們的廣博，不過在戰後為學日趨分工的情形下，法國的漢學也不例外，新人只能各就其專攻的一個方向去努力。……」蘇氏分戰後分工研究為：1佛學研究。2宗教研究。3歷史研究。4文學研究。5語言學考古藝術及其他等項，今分述如下：

四、科學研究──分工時期

在此時期，主要領袖人物，當推沙畹四大弟子碩果僅存的戴密微先生了！而目今無論是漢學的任何一方面研究，幾乎全由戴氏從烽火之餘，任重道遠，領導中國研究。本來「佛學研究」，應該闌入「宗教研究」部份去講才對，但一方面由於研究範圍的延展，另一方面是由於戴先生是戰後法國漢學泰斗，而他多年致力於佛學研究工作，開拓新境地，為了統一描敘沙畹大師的四大弟子，也為了對戴氏的崇敬，所以蘇米葉先生特別提出「佛學」為一子目，而筆者亦覺得戴先生一代宗師，也應獨立一目來介紹他，因此不避重覆，採取蘇先生的方法。

㈠佛學研究：此一子目所要敘者為戴密微先生及其有關佛學研究之弟子。

戴密微：**Paul Demiéville**（一八九五—）戴氏是瑞士洛桑人，一九一九到一九二四年，他同其他法國漢學家一樣，到河內法國遠東學院研究，他又跟烈維 **Lévi**(見前)學習梵文 **Sanscrit**，一九二四年到中國廈門大學擔任佛學及梵文教席。在此，他結識了向鋼和泰習梵文的弟子林藜光先生（亦見前），由於二人志趣相同，研究的範圍也一樣，便成了好友；同年，他發表了第一篇佛學敘述中文《彌鄰陀問經》**Les versions chinoises du Milindopoñha**，一九二六年他到了日本東京，受聘在法日會館工作；開始與日本學者接觸；一九二九年出版《大乘起信論考證》**Sur láuthenticité du Ta-tchi-eng Ki-sin louen**，同時又與他的梵文老師烈維 **Lévi** 及日本佛學家高楠順次郎發起編譯以梵、華、日、法語對照的佛學辭典：《法寶義林》**Hôbôgirin**（一九二九年戴氏主編第一冊，一九三〇至一九三七續編兩冊，一九六二起由戴氏主持總論，一九六七至第四冊，目前出版至第五冊；又見前）。一九三〇年鄂諾威西埃爾 **Arnold Vissière**（一八五八—一九三〇）去世，戴氏被召回擔任東方語專中文教席；一九三七年發表《大正新修大藏經書目》，其時並邀其中國友人林藜光先生（參見前）到巴黎，在烈維指導之下，以華、法、梵、藏四種語言譯註小乘大成中的《諸法集要經》，積五年之力，完成四大冊，不幸林氏困死，書至一九七一年才出版，戴氏並為長序紀念推崇這位老友，盛讚此書將為中國佛學在現代科學研究方法下，可以使佛學復興的一部巨著。至一九四五年接亨利馬伯樂擔任法蘭西學院講座，如同馬氏接沙畹一樣。同年先生主講第四高等研究院佛教哲學，開始致力於中國的佛學——禪宗 **Dhyâno**，在一九五二年發表《拉薩之會——一次第八世紀中印高僧空有頓漸佛學之爭》Le concile de Lhasa une controverse sur le quiètisme entre boudhistes de l'Ined et la chine ou VIII。siecle del'ère chrètienne 第一卷、第二卷為敘述之部，此文係根據埋沒在石室的敦煌卷子：「王錫頓悟大乘理決」先譯成法文，殫十年之力，對正續藏，史傳無考的王錫所紀錄沙門僧即蓮華戒也，自戴氏此文出，唐代吐蕃頓漸兩派之爭，乃為世人所知。（中文敦煌學學報第一期吳其昱博士曾摘要譯出精華部份，讀者可參閱）一九五六年，從第四高研院佛學講座退休，由其弟子巴樂 Andre Bareau 接替，巴氏亦係專攻小乘教義之專家，於中國傳統文化之研究，不遺餘力，目前亦是法蘭西學院講座。一九六四年，戴氏自法蘭西講座退休，但仍治學不倦，一九六九年指導學生劉家維譯莊子，自己並作《莊子一書與其註釋者》，轉而注意致力中國哲學思想史，尋求道家及佛教之間的神秘思想，甚至晚及十八世紀的戴震「原性」思想，也加以探索；同時他也注意及民間文學，在第四高研院時，便曾開敦煌變文研究的專題，一九七一年與饒宗頤合編「敦煌曲」——八至十世紀的歌詞 Airs de Touen-houang texts à chanter des VIIIe-Xe siècle，中文部份由饒氏負責，戴氏就饒氏研究部份譯成法文，並選若干曲詞譯成法文詩體，書中並附敦煌曲卷子印本數十幅，由法國國家科學院出版；一九七二年又出版九世紀唐末的禪宗大師的《臨濟語錄》Les Entretiens de Li-tsi 的法譯本。將那些「機鋒」、「話頭」摘要譯注。戴氏退休後，由其弟子等於一九七三年彙編其先後所發表之論文成：《漢學論文選集》choix d'etudes sinologiques（一九二四—一九七〇）共選論文四十三篇，及《佛學論文選集》Choix détudes boudhiques（一九二九—一九七〇）一冊，共選文十七篇全都附有作者校訂，補遺及補正的詳細資料，目前戴先生雖年逾八旬有四，但精神矍鑠，仍然參加國際學術會議，仍然作研究，其「敦煌變文研究」正在整理中，同時又將敦煌卷子中所發現早已失傳的王梵志詩，擬結集成專集，希望不久能讀到戴老的新著。我也曾於一九七五年春天，由施舟人兄陪同，拜謁他老人家，他從三樓下一樓來迎接我。

附：前述巴樂先生為戴氏學生，而戴氏另一高足賈克謝和耐 Jacques Gernet 前任第六高等研究院指導教授及巴黎第七大學前中文系主任，目前於一九七五年擔任法蘭西學院講座；一九四九年發表他第一本《荷澤禪宗大師神會（六六八—七六四）語錄》Les entretiens du Maitre de Dhyana chenhouei du Ho-tsö，已足見其對佛學分析的工夫，一九五六年他提出《五到十世紀的唐代寺院經濟》Les aspects e'conomiques du boudhisme dans la société chinois du Ve-Xe siècle，為他的國家博士 Doctorats d'Etat 學位論文，文中引用大量敦煌寫卷資料，用他的社會經濟學觀點來研究古代的佛教；一九六四年：《從原始到帝國的古代中國》La chine oncienne des Origines à l'empire：很值得一提的便是謝氏在一九七二年出版了他的一本大著《中國的世界》Le monde chinois 十六開七百六十五頁，彩色，黑白影片插圖三十五頁，附有⑴「中國歷代史事與人文演變的對照年表」。⑵人名索引。⑶地名索引。⑷引用書目提要等。書為通史性質，但其目的在向一般想知道中國的西方人而寫的，他不像一般中國通史的單線敘述，而是將中國史實，在其時空環境予以適當安排，並將各種不同的演變，予以相互連繫觀察其社會、政治制度、經濟……彼此之間及與東亞其他文明歐亞之間地區其他文化的各種關係、技術、智慧生活之影響等等…最後評到中共曲解中國過去的歷史，借用來自西方的一種「教義」來透視判決古代中國，在理論上分成奴隸時期、封建時期，與資本主義時期，強將中國歷史放在一個並不適合的框子裏面，只有使人感到必然的歪曲，與瞭解已往的中國毫無裨益，同時謝氏認為把那樣悠久光輝的歷史，予以一「封建」的惡謚，實是荒謬之至，謝氏深愛中國傳統文化，也很客觀地批判了中共的摧殘文化，倒行逆施，這是十分可敬的！他本是「進步派」，但自「竹幕」揭開，法國及歐美人士有不少對大陸真象瞭解的機會，當他知道了那個集團是個「造反有理」、「蔑視文化價值」的集團，他改變觀念，極端反共！

㈡宗教研究：這是一部份的業績，也是非常值得重視的！自從葛蘭言和馬伯樂二位大師開其先河，於是中國古代神秘宗教、道教、佛教、秘密宗教（佛道合流）等，均為社會學家的治學焦點，此節擬略舉有成就者五人於下：

1. 斯坦因**R.A.Stein**：長期居住河內法國遠東學院，一九四〇—一九四六年他又到北平中法研究中心去工作，（該中心法國撥「庚子賠款」中之款項創辦，多方搜購中國圖書，以便法國漢學家前往研究，所購書刊，並請中國學人為其編目研究，據韓伯詩 **Louis Hambis** 先生告作者，彼在該中心時，傅惜華即曾在該所工所；該所始於一九三九年，一九五三年停止，所搜集圖書，已陸續運抵巴黎，現藏法蘭西學院東方圖書館。）一九四七年發表他的大著

《林邑其地及其古代占婆族之與中國關係》Le Lin-yi, sa localization, sa contribution à la formation du Champa et ses liens avec la Chine 研究，斯氏用社會學眼光治中南半島之史地；一九四九年他返法，一九五一年任第五高等研究院主任，主持遠東及中亞細亞的比較宗教研究，一九五三年發表《東方的樂園》Jardins en miniature d'Extrême-Orient, Le monde en petit，他用比較宗教學的眼光，來討論這一地區的居民信仰活動；同時他又是一位西藏研究專家；一九六三年他又完成：《西元二世紀中國道教活動與政治關係》Remarques sur les mouvements du taoisme politico-religieus au VIIe siècle apres J. C. 自一九六六年起任法蘭西學院中國學講座，主持道教的研究。

2. 康德謨 Max kaltemark：康氏為葛蘭言之弟子，同時也是馬伯樂的門人，他從一九四九年到北平中法研究中心，直至一九五三年該中心結束返法，一九五七年被任為第五高研究院主任導師，他的第一本著作為一九四八年所發表的《治水者》Le dompteur des flots，他是將中國古代神秘傳說所形成的民俗，用其師葛蘭言的社會學眼光來詮釋；其後於一九五三年又完成《列仙傳》的譯釋，他的研究以道家為主，一九六〇年發表《靈寶經與道教信仰》Ling-pao, note su un terme du taoisme religieux，一九六五年又完成《老子與道教》Lao-tseu et le taoisme，多有勝義。多年來，他一直偏重於道教，目前正從事「太平經」的考釋與研析。

3.施博爾 **Kristofer Schipper**：字舟人，為康氏弟子，於遠東學院研究畢業後，一九六二年即渡海來臺灣，先在臺北中央研究院民族學研究所，後赴臺南長住七年，精通閩南語，在此期間，施氏經常訪問現在臺灣尚能活動之道教團體，並參與其經懺、科儀道場，加以整理研究，精通道家內典，並搜集相當可觀的第一手原始稿本資料，及相當數量的俗文說唱本；一九七二年被任為第五高研院宗教組主任導師，他的第一部著作為《道教神話中的漢武帝》**Lémpereur Wou des Han dans la legende taoiste**，一九六五年完成，一九六九年主編《抱朴子外篇通檢》，一九七五年陸續出版《道藏通檢》、《分燈科儀》、《黃庭經內外篇通檢等》，施氏為一年青而有實力活力之漢學家，目今為歐洲青年漢學會議之執行秘書。

4.另外還有一位學生：塞代勒小姐 **Mlle Anna Seidel** 在東京日法會館工作，一九六九年，發表了《老子在漢代道教中之地位》**La divinization de Lao-tseu dons le taojsme des Han**，又東方語言學校教授房第愛・尼考拉斯夫人 **Mme Nicole Vandier-Nicolas** 她在一九六五年出版了一本《道教》**Le taoisme**。

㈢**歷史研究**：談到中國歷史研究，其範圍至廣，不過本節儘量縮小範圍，茲就中國各項制度演變之研究而言，不過這一園地，其開拓者，仍不得不推馬伯樂與葛蘭言二位，茲將有關歷史研究諸人，列舉於後：

1.艾斯加哈 **Jean Escarra**（一九一五—一九五五）他與馬、葛二位年齡相若，可以認為是歐洲第一位對中國法制史研有深厚根柢者。他亦久居中國，一九三六年他發表《中國的法律》Le droit chinois，一九五二年完成：《中國的制度》Les institution de chine，此一工作本由馬伯樂開始，而由艾氏擴大補充完成的。

2.白樂日 Elienne Balazs（一九〇五－一九六三）他本匈牙利人，一九三二年留學德國，從漢學家富蘭閣 Otto Frank，又為社會學家韋伯 Max Weber 的私淑弟子，一九三一至三三年完成德文本《唐代經濟史》，比馬伯樂研究中國經濟史尚早數年，可稱此一專史之開山祖！一九二五年至一九三六年間，常來法國聽馬氏之課；一九三五年之後，即移居法國，過流亡生活，寫作研究不輟；一九四五年完成《中國中古時期社會與經濟》E'tudes sur la sociéte et l'economie de la chine medievale。一九四九年入法國國家科學研究工作。一九五三年發表《隋書的經濟（食貨志）研究》Le Traite economique du "Souei-chou" 一九五四年又完成《隋書的法制（刑法志）研究》Le Traite juridique du "Souei-chou" 及《晉書的法制（刑法志）研究》Le Traite juridique de Tisn-chou 也在預告中，尚在註釋，故未印行。一九五五年被任為第六高研院主任導師，一九六四年發表一篇譯成英文的《中國文明與官僚制度》Le Traite juridique de "Tsin-chou" Chinese civilization and bureaucracy, variations on a theme，一九六七年又出版《上古至十二世紀（遼、金）的中國古代制度史》Histoire et mstitutions de la chine ancienne des origins au VIII。siecle ap. J.C.，是由馬伯樂與白氏共同具名，其實馬氏只寫了四分之一，四分之三乃由白氏完成的，而由戴密微先生為之出版，並為作序，序中稱白氏為現代西方最傑出的中國史專家！另外，白樂日又轉向另一個不同的斷代史研究，那便是《宋代研究計劃》Project Song，白氏為此心力交瘁，去世時此一工作尚未完成，及後由中國學院院長吳德明接替，而由香港中文大學的陳慶浩君為其助手，目今已經完成工作，等待印行。

3. 葛荷賽 **Rene Grousset**（一八八五—一九五二）他同谷第葉先生一樣，也是位不能讀中國書的漢學家，他繼續了馬伯樂及白樂日的研究，成為一位遠東史專家，他從一九四〇到一九五二年，在東方語專，繼任了葛蘭言的教席，主持遠東史地課程，他專長於古代至十五世紀東亞的關係的問題，一九四一年出版了《印度、中國與蒙古》l'Inde la chine et les Mongols，自上古至十五世紀的第一部份，十世紀中古部份由古斯托夫・格洛茲編選，而中國部份本由馬伯樂提出的。

4. 胡都爾 **Robert des Rotours**：是專門研究唐代的，他勤於搜集史料，以史學觀點來討論制度與社會組織等關係問題：一九三二年發表《考試制度研究》Traite des examens；一九四七和一九四八年完成《官制與兵制》Traite des fonctionnaires et traite de l'armee；一九五二年繼續出版《唐代兩都（官制、兵制）的卓越功能》Les insignes en deux parties sous la dynastie des Tang，近年胡氏繼續出版其關於唐代文獻的譯評。

5.哈赤奈維斯基Paul Ratchnevsky：他是伯希和的弟子，他與胡氏的研究相彷，但不是同一時代，一九三七和一九七二年，他先後發表了兩卷《元典章》，其餘正在繼續中。

6.謝和耐Jacques Gernet：戰後在後起之秀中的中國史專家，當推謝和耐教授，在佛學研究中已提過他，他是治佛教經濟的社會學家，一九五八年他發表了《九至十世紀敦煌陷蕃與歸義》La vente en Chine dapres les contrats de vente a Touen-houang，一九五九年又發表：《蒙古入入侵前夕的中國日常生活》La vie quotidienne en chine a la veille de l'invasion mongole（從一二五〇—一二七六年），用社會學的眼光治中國古史，當然最特殊的仍是前面已經說過的「中國的世界」；謝氏去秋就任法蘭西學院講座時，第一次的演講，便是由人文觀點談中國的傳統歷史精神。

附帶也這兒也提一提謝氏的兩位學生，加紀葉Michel Cartier，他研究中國財稅制度與人口統計，而他的主要方向，則在十六世紀的明代社會。另一達爾Jaccques Dars：著有《十至十四世紀的中國海運》La marine chinoite du Xe au XIVe siecle，其中包涵了經濟、軍事、技術……等項，已在印刷中。另有一位龍巴太太Mme Claudine Lombard，她注意中國的海外僑民狀況，曾在馬來亞、新加坡、香港各地旅遊搜集資料，特別注意僑社中的文化活動、宗教信仰、歷史淵源，著有：《十八世紀之鬼舟——華僑適應環境的一個例證》Le Guixhou au XVIIIe siecle un exmple d'acculturation chinois。

7. 汪代密契 Leon Vandermeersch：他本來是南部省大學 Aix-en-Provence 的中文系主任，現在則繼謝和耐出掌巴大第七的中文系，他曾去過河內，是法國遠東學院研究員，也去過日本京都，去過香港，也在星島住過一陣，他研究中國古代的政治思想：一九六五年他發表的著作是《法制思想的構成》Le formation du legisme，他除了鑽研中國古籍之外，並轉而從事至今尚少為法國學者們所應用的甲骨金文及新近出土的考古資料，他從事古代宗法、文化與政治的系統整理，讀他的著作，令人感到他是在復興馬伯樂、葛蘭言的學風；去年他以甲骨金文等資料寫成他的博士論文，以《從金甲骨文中看中國的王道精神》獲得法國國家文學博士。

8. 韓伯詩 Louis Hambis：已往中國學人對於其鄰邦異族，常有親歷的寶貴資料紀錄，而伯希和與馬伯樂更曾對此類記錄邊裔民族的資料下過極大功夫，而著有不少考訂與箋證，目前老成凋謝，韓伯詩先生仍不失為此類學問的繼承人！他是伯希和的弟子，同時也是他接伯希和的法蘭西學院講座，一九六九年，他發表了《明代蒙古史資料》Documents sur l'Histoire des Mongols a l'epoque des Ming，另一位哈彌兒敦 James R.Hamilton，他目前是國家科學院的專科主持人，一九五五年著有《中國史料中之五代時之回鶻史料》Les Ouigours a l'epoque des Cinq Dynasties d'apres les documents chinois；還有斯坦因 R.A.Stein，主要研究漢藏關係史料，一九六一年發表《中藏高原的古代若干民族》Les tribus anciennes des marches sinoti-

betmes。

9.紀愛馬茨 Jacques Guillermaz：他本是一位退休將軍，曾在中國工作一段時期，目前是第六高研院，中國近代研究組主任，主持現代中共研究，有一個關於現代中國研究的圖書館，藏有不少一手資料，著有《自一九一一至今的中共簡史》Histoire du parti communiste chinois。另有席奴 Jean Chesneaux，研究二次戰前的共產叛亂史；一九六二發表：《一九一九至一九二七中共的興起》Le movement ouvrier chinois de 1919 a 1927。以及畢揚戈Lueien Bianco，研究中共農村運動，一九六七年發表：《一九一五至一九四九年的中共叛亂》Les origins de la revolution chinois。和貝協和夫人Mme Marie-Claire Bergere的一九六二出版《一九一一年的中國的平民革命》。

㈣文學研究：法國研究中國文學作品，由來已久，但成績終不算太好，至少迄二次大戰止，沒有特殊的貢獻，在戰前祇有中國人徐松年的《今日中國文選》Anthologie de la literature chinois des orgines a nos Jorus，戰後一九四九年及一九五一年馬古烈 Georges Margoulies 出版兩本的《中國文學史》Histoire de la literature chinoise，都不是十分出色的。戰後像樣的還算康德謨一九五五年為七星叢書 Encyclopedie de la Pleiade 所寫的：《中國文學》Litterature chinoise，乃中國文學史百科全書中的一章，事實上中國文學包含太廣，大家難以包舉其全，所以戰後學術分工，文學的分工，自亦不例外。以下分別談談古典文學及民間白話文學的重要研究人物：

1.馬古烈 **Georges Margoulies**，前已言及，一九二六他出版一本《文選中的賦》**Le Fou dans Le Wei-siuan** 這是一種詩句夾在散文中的特殊文體。而更進一步作鑽研的當推：

2.吳德明 **Yues Hervouet**，早先是波爾多省立大學的中文系主任，後來任巴大第八的中文系主任，目前是遠東學院院長，他主要研究的是中國文學史中的賦，一九六四年他完成：《漢代官廷詩人司馬相如》**Un poete de cour sous las Han Sseu-ma Siang-jou**，一九七三年又譯註史記第一百一十七卷《司馬相如列傳》，文中又可看出文學成分則稍遜於歷史成分敘述。他目前留心唐詩及宋詞，看來他是沿著中國文學史的發展而前進，同時在巴黎年青漢學家中，他的詩人才子的氣質也最濃厚。你可能常會在遠東學院的樓梯走廊上看到一位「行吟詩人」聚精會神地在思索，那就是他！

3.侯思孟 **Donald Holzman**，是第六高研院的導師，也是巴大第三中文系的教授，他是研究第三世紀的中國文學家，一九五七年發表《嵇康生活思想》**La vie et la pensee de Hi K'ang**，同時也兼論及竹林七賢的其他六人。目前潛心於曹氏父子及魏晉詩。也很留心「清談」高個子，白淨的橢圓臉，文人氣質極重。

4.狄愛尼 **Jean-Pierre Dieny**，第四高研院的導師，他的研究重點不在文學史而接近文學批評史，他對文學作品本身作深入的分析，在思想性社會性上作比較，同時探測在中國讀者眼中的自然俱有的某種美感，這方法很適合於分析中國古詩篇及一些民間無名氏的詩作，一九六三年他出版了《古詩十九首》Les dix-neuf Poemes anciens，一九六八年又出版《中國古詩探源及漢化抒情詩的研究》Aux origins de la poesie classique en chine etrde sur la poesie lyrique a l'epoque des Han。

5. 中國人當中，也有幾位留法學人在作古典文學工作像陳繼賢（號抱一）：《唐代詩人張若虛的詩體結構分析》Analyes formelle de l'oeeuvre poetique d'un auteur des T'ang Zhang Ruo-Xu，一九七〇年完成。目前陳氏在第六高研院語文組參與現代漢法字典的編譯工作。還有馮淑蘭一九三五年曾完成《詞的作法及其歷史》La technique et l'histoire du tseu 在徐先生文選出版之後；一九四七年羅大綱發表《百首唐人絕句》Cent quatrain des Tang；李志華，目前正在翻譯《紅樓夢》，他也接著巴占譯了一些元人雜劇。

6. 當然最主要的仍是戴密微先生，他除了研究佛學，於寶卷、變文亦多留意。一九六二年出版《中國古典詩歌選集》Anthologie de la poesie chinoise classique。一九七一年又與饒宗頤教授合著《敦煌曲》（見前）。通俗文學方面，其中比較特殊的，乃半文半白，或韻或散，說唱相間的一種文體，都便是近五十年來新於敦煌寫卷中所發現的變文，戴密微先生已工作了相當一段時間，這種文體也就是後來「寶卷」的始祖；李維 Andre Levy 原在柏多省第三大學任教，目前亦在巴大第七東亞研究所，一九七〇年發表《聊齋選譯》Lamour de la renarde douze cnontes du XVIIIe siecle，一九七一年出版：《中國傳奇小說研究》Etudes sur

le conte et le roman chinois，現在致力於十七世紀的話本。一九五六—六二年，于儒伯 Robert Ruhlmann 主持翻譯了《三國演義》Roman des Trois Royaumes。一九五七年阿文諾 Louis Avenol 譯《西遊記》，其餘像一七三一年普馬神父譯《元曲》；馬洪譯《京劇》；蔣恩鎧《崑曲研究》，其至像班本諾之研究傀儡戲。

7. 現代文學方面：有羅瓦太太，巴地先生等，偏重中國三十年代的文人作品，如老舍、魯迅等。

㈤考古與藝術史的研究：這方面仍然繼承了沙畹、馬伯樂、伯希和的業績，考古當然也是漢學的一環，不過這些問題較為專門，而中心則是羅浮藝術學校，紀邁博物館等，有的研究早期，有的著重明清，其中以尼古拉夫人最傑出，她本人則是研究宋代的，中國學生也有一兩位追隨她。因為冷門缺乏明顯活動，筆者不想多所陳述。

㈥語言學研究：同樣地也非常蕭條，有黑加祿夫 Alexis Rygaloff 他是第六高研院導師，他亦是繼承伯希和語言學，一九五四年，他寫了一本《國語語音》。不過他目今指導學生，多半是作的現代中國語的動詞、副詞、語法結構分析等。還有一位戴先生的弟子吳其昱博士，他目今是國家科學院的研究員，他曾寫過《代稱詞中格（們）的研究》正在出版中。

（原載於世界華學季刊 13:1，1976.11，頁 259-181）

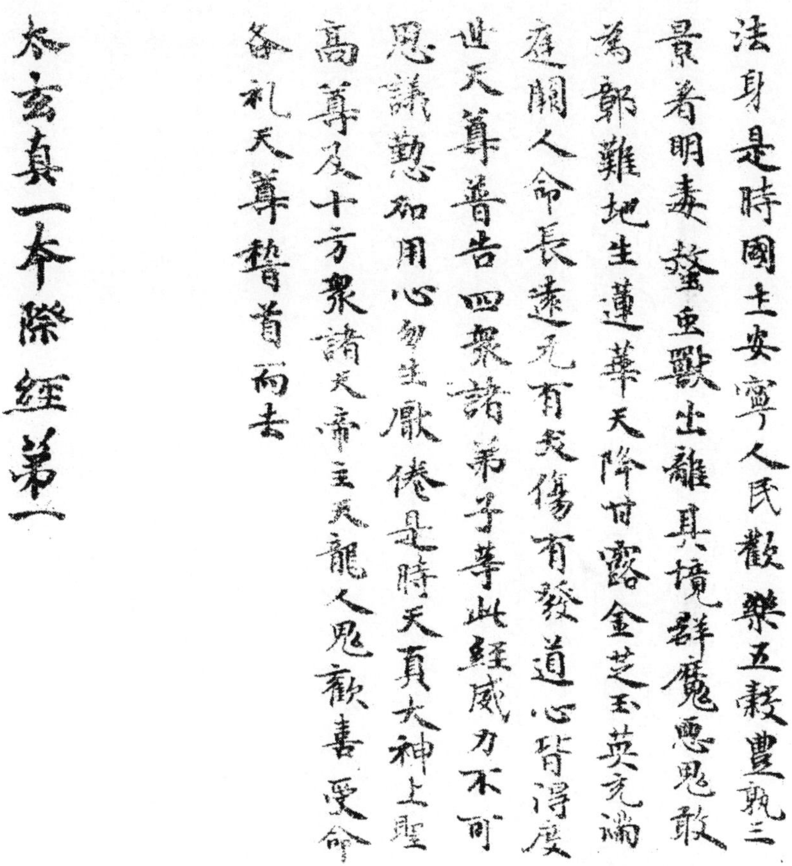

法身是時國土安寧人民歡樂五穀豐熟三
景著明毒螯虫獸出離其境群魔惡鬼敢
為郭難地生蓮華天降甘露金芝玉英充滿
庭閭人命長遠无有夭傷有發道心皆得度
世天尊普告四衆諸弟子等此經威力不可
思議懃劬用心勿生厭倦是時天真大神上聖
高尊及十方衆諸天帝主天龍人鬼歡喜受命
稽禮天尊稽首而去

太玄真一本際經第一

附圖一：太玄真一本際經（伯希和攜去敦煌卷子）

PLANCHE XIII

11. Pelliot chinois 3821 | Image 26 | Ed. Introduction, p. 78-79

181 176 169

11. Pelliot chinois 3821 | Image 27 | Ed. Introduction, p. 79

192 186

附圖二：分科儀書影（敦煌卷子）

PLANCHE IV

Ed. Introduction, p. 61-62, 65-66 Image 7 5. Pelliot chinois 2838 v°

183 174 170 169

Ed. Introduction, p. 66-67 Image 8 5. Pelliot chinois 2838 v°

208 201 196 189

附圖三：敦煌曲（敦煌卷子）

敦煌西域文獻研究會第一屆國際會議紀要

筆者此次於九月杪遠赴歐陸，重遊巴黎，滯留近月。除參加此一專門性的敦煌學會，得與國際學者，相聚一堂，切磋砥礪，所獲甚多之外；且又利用會議之餘，復在巴黎國家圖書館東方手稿部，審讀若干寫卷，為時雖不久，然亦日有得，（另撰有關文章發表，第一篇文章已在本年十二月九日，第一屆中國古典文學會議宣讀，題目為：談敦煌寫卷的解讀與通俗文學的研究。）茲以時間倉促，謹將全部會議程序及會中學者所宣讀之論文，擇要報告於後，以供學界參考及指教。

一、此次之會議名稱：其中文為──敦煌西域文獻研究會第一次國際會議。」

二、會議時間及地點：一九七九年十月二、三、四日，於巴黎。

三、主持及支持單位：主其事者為巴黎大學第四高等研究院教授兼敦煌研究組負責人 Michel Soymie，（原應為彼邦華學泰斗戴密先生主持，不幸戴先生於一九七九年三月逝世。）支持單位為法國國立科學研院、法國文化部、亞洲學會、歐洲中國學會之助，得以順利舉行。

四、會議緣起及主要目的：自西元一八九九年，敦煌寫卷發現以來，先後為英國東印度公司工作人員斯坦因攜去廿四大箱，約七千餘卷；法國伯希和取去約六千餘卷；剩餘八千餘卷，後歸北平圖書館；日本大谷探險隊橘瑞超等人，先後搜得約三五千卷；蘇俄探險隊先後在 Kara 黑水城、敦煌等地亦搜集約萬餘號（多為殘紙，堪作研究者約七百餘件）。幾處藏卷，分散四方；戰後英國經濟蕭條，所藏於倫敦不列顛博物館的卷子，先作複印本，後又製成微捲，十幾年前便已公開出售；北平卷子，十幾年前因與英國交換，亦製成微捲，劍橋大學便擁有一份；列寧格勒東方科學院卷子，有孟希柯夫等編有目錄，並零星發表一部份；巴黎國家圖書館所藏，則因客觀條件，除有伯希和、王重民所編之簡目外，僅有五百號的詳目出版，但並未作成微捲，且海外學者申請微捲，頗多限制，甚為不便！各國敦煌學者，欲參考伯氏所藏卷子，勢必親往巴黎閱讀。

近年來由於經濟發達，交通便利，東方學者前往巴黎參閱寫卷者為數頗多，幾成敦煌學消息交換中心；且近年法國東方學院成立敦煌研究組；分別購得倫敦所藏微捲及商得劍橋大學複製北平藏卷微卷，於是四分天下有其三。且法國戰後華學凋敝，年輕學人亦頗思重振法國華學之雄風，復經東方學者多人之倡議，乃於三年前開始醞釀，終致正式舉行此一開創性國際會議。

今年恰逢法國華學大師伯希和百歲紀念，乃藉紀念此一敦煌學開山大師之誕辰，舉行紀念會，並由各地區代表報告其研究團體目前之研究工作及未來有關團體或個人之工作計劃；同時希望不同語文寫卷的研究學者，能提出研究業績報告，以促進學科之交流，俾便作進一步之瞭解與合作；同時進行分組討論，達到「以文會友」之目的。

五、集會地點及分組：伯希和先生百年紀念會在紀邁博物館舉行；綜合報告在法蘭西學院第八講堂；分組討論會在巴黎大學本部第四高等研究院語言教室。大會除紀念會、綜合報告及三組共同時間外，因寫卷語文之不同，分中文組由 M.Soymie 主持、藏文組由 A.Mac Donnld 主持，古突厥語組由 J.Hamilton 主持。

六、大會主辦單位，從十月一日至五日，招待與會學者住於巴黎區郊農代 Nanterre 巴黎第十大學附近之新近完成之巴黎公立國際文化會館 F.I.A.P.A.D.，早晚餐發餐券，在文化館進餐；由於會場均在市區，乃發給與會者午餐代金；同時發給四日份巴黎捷運鐵道、地下電車、公共巴士之聯營車票，並贈國家圖書館所辦伯希和西域文獻特展參觀券一張，招待可謂十分週到。

七、此次參加會議學者，包括法國、日本、中國、英、美、加拿大、匈牙利、波蘭、東、西德、馬來西亞、香港……等地區九十餘人，其中日本代表有三十六人，法國代表三十人，華裔學者包括國內外共十一人，分別為李方桂（美）、潘重規、饒宗頤、林天蔚（以上香港）、蘇瑩輝（馬來）、陳祚龍、吳其昱、左景權（以上法國）、金榮華（臺港）、羅宗濤（政大）、李殿魁（文化）。

八、會議使用語言：地主國為法國，故主要語言為法文；但參加之日本學者或用法文，或用日文；（論文提要多譯成法文。），中國學者則用中文。

九、會議之程序：十月一日下午三時至六時至文化會館報到，領取會議資料、名牌、車票、飯費、餐券等，並分配住房。晚間自由活動。

十月二日上午九時三十分在紀邁博物館，由亞洲學會會長 Clande CAHEN 主持伯希和紀念會。伯氏匈牙利籍學生先致詞後，按節目進行，首由 **Louis Bazin** 報告：「伯希和及其阿爾泰研究。」次由 **Michel Soymie** 報告：「伯希和之中國學研究。」第三位為研究委員 **Jean Filliozat** 講：「伯希和生平及其著作。」費氏因在國外出席會議，乃由 **Jeannine Au Boyer** 女士代為宣讀，每位三十分鐘。十一時招待全體學者至該館二樓參觀伯氏中亞細亞考古文物之珍藏。其中有若干剝自洞窟壁畫之泥塊，有北魏、初唐之佛像人物等。〔該館收羅極富，但均為東方寶物。大會結束後，筆者於十月六日下午由國家科學院研究員，專研東方美術的侯錦郎先生（並兼紀邁博物館顧問）陪同入頂樓庫中，飽覽從未展覽之敦煌壁畫、繡旛、古物等，琳瑯滿目，十分珍異，真是平生難得一見之良機也。

當日下午二時起，全體代表至法蘭西學院第八講堂，由日本學者山本達郎主持，分由各地區代表報告各區研究近況：首由東洋文庫池田溫報告東京區敦煌學中「唐代戶籍之研究」；次由 **Nicola Vandier-Nicola** 夫人（為法國權威東方美術史專家，尤其對於米南宮有深湛之研究。現已患癌症，但精神矍鑠，每位學者報告伊均仔細聆聽，治學精神，深為可佩。）報告「法國對中亞考古所得美術品之研究」。再次為早稻田大學之福井文雅，報告日本東京敦煌學會之活動—每月集會，定期舉行討論會，重要研究成果有「中國佛教文學集」、「東洋文化研究論集」、大淵忍爾—「敦煌道教」全部資料圖錄；端木貞亨之「法華經目錄」、「東京都所藏卷子解讀」；入矢義高—「變文俗語之研究」，田中良昭—「禪宗目錄」及「惠能之研究」；秋山光和—「敦煌、吐魯番兵制」、「戶籍之研究」；福井良昭—「佛教儀式之研究」……等，並舉辦「敦煌講座」，且預定三年內出刊十四本研究專集。

第四位為法國敦煌小組主持人 **Soymie** 報告法國的出版與研究，有重編伯希和卷子詳目第一冊已出版，第二冊即將出版，尚有「本際經」、「敦煌曲」、「王梵志詩」等，有的已出版，有的正在整理，最新尚有「敦煌白畫」剛出版。

然後由京都退休教授藤枝晃任主席。上山大峻報告京都大學有關「藏文寫卷之研究」；第六位秋山光和，報告敦「煌藝術之研究」，第七位由金榮華先生報告「港臺地區敦煌學之近況」及「敦煌俗字譜之完成」，（該譜乃以中央圖書館所藏之百餘佛經卷子所編成，會後據池田溫教授告知，此人已利用北平、倫敦、巴黎、日本所藏之萬餘寫卷編成一大型俗字譜，正籌劃出版。）並擬作「斯坦因卷子提要」，及其他出版計劃，包括韓國卷子；最後為 **Pennti Aalto**（白俄）報告「蒙古文」、「和闐文」、「回紇文」……等文卷之研究……。以上為學術消息之交換，及各地研究情況之報導。

十月三日為分組會議，本人參加了中文組，是日上午九時三十分起，共由四位代表作專題報告：

首由香港饒宗頤先生報告：「伯希和所得較古之寫卷研究」，饒先生發現伯四五〇六號卷子（可能與伯四五〇四號同時）係一黃絹本，所抄之佛經為金光明經之第二卷，最重要者為此卷之題記！書寫時間為北魏獻文帝皇興五年（西元四七一年），山郡盧奴縣城內西坊里。如此詳記籍貫鄉里，十分可貴，此卷之「租厲」，漢書作「祖厲」——「武帝元鼎五年，冬十月……登空同，西臨祖厲河而還」——李斐曰：「音嗟賴」；後漢書作「租」，水經注作「祖」，此卷作「租」同於後漢書郡國志，玉篇、廣韻入九麻，「遮賴」，子邪切。此可正讀；又張姓原籍「盧奴」；水黑曰盧，水不流曰汝，皇興五年敕勒叛於河西，見源賀及隋書，原住西涼，而斯二一〇六，乃「維摩義記」，是景明元年（西元五〇〇年）二月廿二日，比丘曇興於定州豐樂寺寫訖；而定州自西元五〇六年頃，刺史元鸞以赤金三十六萬兩造佛像之事，可證其有關連，則此卷之地名可補魏書地形志。

第二位為北海道大學之菊池英夫報告，其所提之論文為：「新近在吐魯番所發現唐代兵籍之研究」，首揭研究唐代兵制研究之專書及其他相關文件。然後指出一九六八年，在吐魯番阿斯塔那一〇八號唐墓所發現之「西州營名籍」，並利用一九七二—一；一九七三—十；一九七五—七、八；一九七七—三等各期之（文物）中所載：唐開元三年（西元七一五年）西州營名籍；並參斯三七八六號卷子及大谷所藏二八四〇卷子，及蘇俄在西土耳其斯坦所發現之相關文書等，討論初盛唐之兵制，「鎮軍」及「行軍」之組織，兼及新發現之「西州營名籍」中所見之「隊」、「火」、「火長」、「火內人」、「馱」、人、馬編制及兵源等，有深入及詳細的考證。如一火十人，六馱；五火為一隊。西州營、隴西縣、軍防系統等，均有所論及。

第三位報告人為潘石禪師，潘師報告「敦煌寫本眾經別錄之發現及其價值」。此為伯三七四七號卷子，首為王重民所發現，考為「眾經別錄」，乃唐以前之寫本；而一九五八年王氏之敦煌古籍敘錄乃誤為伯三八四八，不知何故！

其次，此別錄長八紙又小半紙，共文字九十七行，紙為白楮；存目八十一部，缺經名三，約存全書一千零九十二部，經名之十四分之一。原書為二卷十篇，此為一至三篇，屬上卷；所載經名幾全見於僧佑「出三藏記集」，無劉宋以後之譯本，於佛經之譯述史料有極大價值；較僧佑所記早出數十年，至為可貴，此其一。

再次，每經名下皆標明宗旨，如「以菩薩行為宗」；文名下標出「文、質」；「文、質均」；「文多質少」；「不文不質」；足見譯經者注意「文、質」，其譯經之理論，影響中國文學之創作，此卷足可證明當時實況。此則「眾經別錄」勝於其他經錄之處。

上午最後一位報告人為大谷大學的平野顯照，其題目為：「三教毀傷論顛末考。」引用大正大藏經之高僧傳中：「唐朔方靈武龍興寺增忍傳」、斯〇二七六號卷子背面之「靈州龍興寺白草院史和尚因緣記」；宋孫光憲《北夢瑣言》卷九：「唐咸通中西川僧法進，刺血寫經。」條；斯五四五一金剛般若波羅密經卷子題記：「天佑三年丙寅，二月二日，八十三老人手自刺血寫之。」，伯二八七六號金剛般若波羅密經卷子題記：「天佑三年，歲次丙寅、四月五日，八十三老翁刺血和墨，手寫此經。」等，有關刺血寫經之記載；而前引史和尚增忍傳、因緣記中，均有對刺血寫經之論爭，並舉道家之致屍林野、儒家角哀之墓，皆為毀傷之事蹟，胡不許佛徒之刺血寫經耶？

復引南史梁本紀、新舊唐書韋綬傳、元真德秀傳、萬敬儒傳、薛懷義傳；及宋高僧傳中之釋定蘭、貞辯、鴻楚、道舟等傳。或刺血灑地、寫經、畫佛像，或穿心燃燈，斷指鑱臂；拔耳剜目，餧飼鷙鳥猛獸……等；又引《法苑珠林》所載最勝仙人為求得妙法乃以利刃剝皮為紙，刺血為墨，折骨為筆，以寫佛偈；此故事又出於大智度論、大般若涅槃經、梵網經、佛說菩薩本行經、華嚴經等。

並引文學作品唐劉商所作之胡笳十八拍中第九拍：「學他刺血寫得書、書上千重萬重恨。」蘇東坡集朱壽昌梁武懺贊偈：「刺血寫經，禮佛懺悔……」又蘇集合註：「朱壽昌郎中，少不知母所在，刺血寫經求之五十年，去歲得之蜀中。」等資料，說明三教求道弘法，自南朝至北宋，均有毀傷之舉，足見佛教影響之大。

下午二時起，首由政大羅宗濤兄宣讀：「敦煌講經變文的變——講經變文運用佛經的方法」，約之大約有四，一為擴大經文：如大目乾連冥間救母變文；二為刪節縮小：如太子成道及破魔變文；三為顛倒佛經順序：如降魔變中勞度叉之鬥法順序各各不同；四為雜揉各經：如祇園因由記等。不管如何運用，總以通俗、趣味、生動為主。

第二位是駒澤大學的田中良昭，由伯希和所得之一完整文書，書縱二八・五公分，橫十公分，全八七紙，一七四頁；頁六行，共千零十五行。標題為：「金剛峻經金剛頂一切如來深妙秘密金剛界大三昧耶修行四十二種壞法經作用威儀大毗盧遮那佛金剛心地法門秘法戒壇法儀則」，內題為：「大興善寺沙門大廣智不空奉詔譯。」編號為P三九一三。以此卷為主，討論「唐代佛教諸宗間相互關係」。並參用北平藏冬七四、鹹二九、斯二一四四（與鹹二九相接）、斯五九、以及八一、伯二七九一、伯三二二二、斯二三七二等卷，綜合考察，可知一：禪宗與密教之關係；二：禪宗（天臺宗）、法相宗、密教之間的關係。主要證據為禪宗之傳燈說、密教之《付法藏傳略抄》、《摩訶止觀》、《歷代法寶記》、《聖冑集》等書與卷子合勘所得的資料。

第三位為山本達郎先生，他所提出的論文為：「均田法中的兩個問題」，他討論自北魏孝文帝實行華化，仰慕中國傳統文化，其對北方凋蔽的經濟社會，採用中國的均田法；因而他從敦煌寫卷：伯二五九二、二八二二、三三五四、三八七七、三八九八、二六八四等及斯六二九八、五九五〇、四五八三、三九〇七、五一四、六三四三等號，並參用二十餘種討論研究中國中古社會、經濟、土地分配資料等專著，來分析探討北朝從五世紀起至八世紀安史之亂，唐室中央力量崩潰止，由於西北地區秩序改變而使均田制度破壞，乃從若干卷子中之題記及田契文書實錄——如開元十年（西元七二二）籍：「口段拾參畝永業東廿里沙渠東澤西玄義南荒北玄義；」大曆四年（西元七六九）手實：令狐進堯：「一段拾畝口分城東廿里沙渠東澤西玄義南荒北玄義。」等土地買賣記載，研究自田與已受田之關係及公田的分領問題，多方研討，態度認真。

第四位為北海道大學的石塚晴通教授，他所提報告為「敦煌與吐魯蕃所發現的鄭玄注論語」及其「唐抄本鄭氏注論語集成」——兼論唐代邊疆文化。今日吾人在十三經中所見之論語，係曹魏時期的何晏集解，而名氣甚大的東漢經學大師鄭康成的論語注則早已散佚不見。論語一書，據古書記載，在漢代已有齊論、魯論、孔壁書的古論三種；漢成帝時安昌侯張禹以近於古論的魯論為底本，參校齊論成「張侯論」，至漢末鄭玄以「張侯論」為底本，再校以「古論」而成鄭注，集孔、包、馬諸家之訓說，為漢儒訓解論語之集大成者，故至為重要，其後散佚。

一九六九年在吐魯蕃阿斯塔那唐墓中，發現題有唐景龍四年（唐中宗年號，西元七一〇）三月一日，西州高昌縣寧昌鄉厚風里義學生，十二歲的卜天壽所抄之「論語鄭氏注」殘卷，長五百三十八厘米，寬二十七厘米，存為政第二、八佾第三、里仁第四、公治長第五，再加上斯三三三九號，伯二五一〇號龍紀二年（唐昭宗年號，西元八九〇年）二月寫本，龍谷大學八〇八〇號，書道博物館藏本（無編號）及新近吐魯蕃發現之開元年間寫本等，可探知此類寫本由初唐、中唐，至陷蕃與歸義軍時期之寫本情況，並見出晚期寫本上有用硃筆在字角點出「破音字」，及句讀段落等，足見當時西域地區雖或因政治形勢陷落異族，或與中原隔斷，然具有強大力量之中國文化，由此十二歲兒童抄寫中國自漢以來即成為中國學子人人必讀之基本教材論語、千字文等；尤以此中土失傳而復見於邊域的鄭注論語，其對中國傳統文化的意義更為重大。

石塚教授根據日本高山寺藏中原家本，參校建武本、開元四年籍裏本等，預期明年二月由東京大學出版：「高山寺資料業書第九、古訓點資料第一種——唐抄本鄭氏注論語集成」。可算中國學術史上一件大事！

是日下午最後一位由京都龍谷大學井口之泰淳報告，由四組有題記的敦煌寫經卷子來討論：「敦煌的譯經」，並用「普賢行願讚」、「文殊師利發願經」、「普賢菩薩行願王品」、「大乘稻芉經行願王品」等，其中有不空譯、般若譯、大蕃國沙門無分別奉詔譯，（如伯三五六八號）今證早期記錄多以「無分別」與「法成」混淆，特為理出，頗獲陳祚龍氏之稱道。

十月四日為綜合報告，所提之論文為不專屬某組而三組均可參與討論者，會場仍設於法蘭西學院第八講堂。首由京都大學藤枝晃先生報告：「藏經洞中經卷藏置問題」之探討，藤枝先生以為卷子之封入洞中，並非因僧侶逃避戰爭而封存的，他認為由有題記之卷子證明封洞的年限為一〇〇二年（宋真宗咸平五年）；此宗卷子今日分為五處收藏，即一斯坦因、二伯希和、三北平、四大谷大學及 Oldenburg，而這些卷子原屬三界寺及光明寺，故若干卷子並印有圖記。除中文卷子外，尚有大批藏文卷子，此則不可解為因陷蕃而封存；且有若干卷子重複，則因藏經制度有上藏、下藏的原因；且在十六洞有僧人吳洪弁的彩塑，（最近發現，與藏經洞有關。）吳在九世紀時曾任當地都僧統，在他圓寂後百五十年，吳家子孫為其繪象；推論卷子之放置，實由唐末五代雕版印刷之發明，卷子之使用不若冊頁裝訂之書本方便，且寫卷已陳舊，故為封存。但尼古拉夫人則提出異議如因不用而藏封，何以卷子中有不少嶄新畫卷？此不合「用舊收藏」之推論。

其次由布達佩斯大學 **Uray Geza** 報告西域陷蕃時期甘肅、于闐地區藏文卷子資料中有關中國官制之使用，如于闐王稱西州太保，其兄弟稱河西節度使曹令公，還有尚書、歸義軍、天平軍、司徒、金門帳、大王、司空、長史、僕射等名銜，在若干卷子中出現；其次尚有天復（或天福）七年；及晚期張義潮、張淮深、曹議金、索勳、中書令、曹元深、曹元德等有系統的自西元九二〇年曹議金時期十五年間的紀錄，都是尚未被引用與研究過的一手資料。有關瓜、沙地區的史事至鉅。

第三位為日本羽田明，他的報告是：「茶與箸」。在中國文化中，「茶」及「筷子」可以說是純粹的「中國文化」，而相關的特殊物，則又是「字」及書寫工具的「墨」和「毛筆」！這種特殊的文明，不僅影響了突厥、蒙古人，也直接地影響了中世紀的畏吾爾（回紇）人。吾人深知回紇人接受中國的文明，可以早溯到唐代，當他們和蒙古勢力分別控制中亞地區時，他們改變了生活習慣，跟唐朝人學會了「飲茶」，從八世紀起他們連日常生活中吃的麵包，都跟中國的「饅頭」一樣。

在中亞地區，即中國的西北，他們也受了深厚的中國傳統文化的影響，從地下出土的九世紀墓葬物等即可得知。當十一世紀時，他們被回紇人、克什噶爾人所左右，他們把寫字用的叫 **Mekke**（墨）及 **Pit**（筆），或 **mo(mok)** 及 **pi(pit)**，在回紇人即是如此唸法，很明顯的那是中國的產物！

在一件抄寫極為精美的畏吾兒文一四一四號大谷藏卷子上，即有一個特別的年號記載屬於西夏通古斯人的。我們也發現了很多中國的技術輸入中亞，譬如由商隊帶去的箸 **cugi(tchu,tsu 箸)**。

這也是不同於其他文化的，是中國的特有標幟，足證中國文化對「西域」地區的影響。

下午亦有四位宣讀論文，第一位是東京大學東洋文化研究所的池田溫先生，報告「敦煌、吐魯蕃所發現的文書中之康居、粟特、畏吾兒商人」。他說中央亞細亞乃東西交通要衢、商業中心，商人足跡遠達四方，交易活動及接觸頻繁，也造成文化傳播的功能，所謂的「絲綢之路」，在東西貿易史上有極高的評價，而出土的由北朝至隋唐的明器、駱駝、胡人等造形生動鮮活，宛若小說人物，更證明了中亞地區的文化交融。但由於紀錄的殘缺、史書失載，吾人難以瞭解當時商隊的實際情況，但敦煌、吐魯蕃所發現的一些片斷資料，極為可貴；尤以八世紀前半期，可稱為此商業活動的巔峰期。

池田先生引用了天寶十載（西元七五一）前後的敦煌縣差科簿（如伯三五五九等）紀錄了敦煌縣城東鄉三百戶前後聚居等唐代基層行政「從化鄉」組織，居民的兵役、勞役等徵發，及人名雜有胡風及漢風的命名。伯二八〇三，天寶九載（西元七五〇）的敦煌縣文書，紀錄從化鄉居民向縣倉惜貨種穀及利息計算等，一次納入三百六十五碩，足可推見其耕植的面積；商業方面，敦煌有公設的市場，監督商人們公平交易，有下級官員丰「市壁師」的紀錄，及地方灌溉事業的管理記載。

一九七三年在吐魯蕃盆地阿斯塔那地方，五〇九號墓發現西州都督府的「過所」（通行證），係開元二十年（西元七三二）三月十四日瓜州府戶曹參軍及史楊祇發給石染典。石本由安西都護府來，「市易事了」由瓜州回安西去，要經由鐵門關，而安西都護府設在龜茲（今新疆庫車），而鐵門關則在焉耆西五十里；來回必經，故給來回證明給守關鎮戍的守捉；另出石染典買了一匹騮敦六歲馬，賣方是西州市別將康思禮，保人興胡羅也那、興胡安達漢，皆為胡人，前者為吐火羅人，後者為阿姆河以北昭武九姓部落，彼之所以為二人作保，說明這些胡人或行商或定居安西、北庭、西州、瓜州等地。

京都龍谷大學藏有開元十六年（西元七二八）西州文書，其中河西市馬使任馬匹的購入事，並紀錄紙、墨、筆等費用之申請，其中亦有興胡取引文書與馬匹記載。一九六六年吐魯番阿斯塔那六十一號墓發掘到鞋上附貼片斷之絹上，亦有紀錄貿易資料，未經發表，大約為曹祿山、曹畢婆與首都的漢人李三、李紹謹二百七十五疋練布的買賣紀錄，交貨地點為弓月城，交易時間為麟德二年（西元六六五年）。由以上資料，足見中亞商人與中國交往之一端。

其次由秋山光和報告關於敦煌壁畫的研究，其所研究內涵，非本人所知，故略而不錄；末了由突厥語組、藏文組的學者報告新近發現的藏文等新資料。所引均屬專門，未有論文綱要，故不能詳記。

在當日下午五時卅分，在法蘭西學院的東方學院圖書館二樓舉行酒會，法蘭西學院院長、東方學院院長、馬伯樂夫人、康德謨教授……等約百餘人，濟濟一堂，賓主盡歡，至七時結束，大會正式活動亦告結束。

十、餘音：此次會議一般說來，頗為成功，設想週到；但由於參加人數以日本法國為最多，因此大會使用法語及日語，但因有中國學者參加，曾試圖以中文翻譯，由於中國學者在某些有關中亞問題與世界漢學界脫了節，專有名詞及術語等，頗難以簡短語言譯出。以致，雖然是討論「中國學」，可惜我們不能擔負領導或參與的責任。

其次日本學者頗有組織，有專人翻譯論文提要，或提供討論資料，甚至每位發言都錄音、攝影、態度認真而熱烈，發揮了團隊精神！反觀吾人，政府當局無人理會，幾乎是「潰不成軍」，身為華裔子弟，睹此學術亦由異國學者代庖，若干專門問題，人家侃侃而談，吾人於此類專題，由於資料接觸不夠，尤以大陸陷區新出資料，一無所見！幾乎都大部份問題不能贊一辭，吾人憑文化的認識、學術的良知，深深對此一不能補救的管制缺陷，使吾人幾被排出「國際中國學」的園地外，實不得不為之扼腕痛惜！以此之故，才不憚煩地、冒昧地、一知半解地將所見所聞摘要記述如上，意在供文史工作同仁及對中國學術研究關心之人士，俾助一覽。吾人如不再急起讓文史科的研究起飛，迎頭趕上國際漢學界，攜手共同研討，那麼，再過若干年，只好讓「漢學在日本」或他國人！（本文作者為國家文學博士，中國文化大學華岡教授兼中文系主任。）

中華民國六十八年十二月　第一屆古典文學會議第二日於仰觀堂

（原載於　世界華學季刊 1:2，1980.06，頁 17-25）

學術資料與學術研究

民國六十三年至六十五年，承文化學院張創辦人，曉公師貲送出國深造研究，在巴黎一住兩年，使得我有機會能接觸到歐美近數十年來之華學研究；飽覽密閉深藏在巴黎法國國家圖書館東方手稿部的中華國寶——敦煌寫卷。差不多將近一年時間，坐在手稿部閱覽室中，摩挲了不少半透明黃檗染過的盛唐寫本；淡灰色粗厚的敦煌陷蕃後的晚唐宋初雜抄卷子；也化了不少「咖啡時間」，向整理卷子，研究敦煌問題的專家前輩們，討教有關問題。也在法蘭西學院東方學院圖書館裏，參閱了一些國內所不能輕易看到的新資料。而這些新資料，也正是西方華學家們關心矚目的新課題。

記得前幾年，山東臨沂出土了孫臏兵法、及六韜、尉繚子、呂氏春秋、管子……等漢簡，及馬王堆三號墓出土的帛書老子、戰國策、黃帝四經、伊尹九主、易經殘卷等，法蘭西學院一些華學家們，立刻成立研究小組，並定期由指定研究人員提出報告。去年來華訪問的東方學院院長吳德明（法人）便是負責老子帛書及孫子兵法的專題報告。可見國際學者對中國學術新資料之重視與不甘落後。然而回顧國內，對新資料大家不知所云了！

有一次陳祚龍先生——這位老巴黎，由瑞士邊境的鄉下，來到巴黎，他跟我還算投緣，於是便到「寒舍」，二人促膝作清夜長談。那天他告訴我想寫一篇關於江陵鳳凰山十號墓出土的二號木牘，那是一件漢人合夥作買賣的契約，正面有：「中販共侍約」五字，他認為第二字可能是「舨」字，而不是「販」字，也不是「服」字，乃是中（地名）舨船組隊之商船主人們的合夥共行的契約，問我同意不同意他將「舨」字釋為中型木船而非販賣之販或服從之服解。當時我倒不敢碰簡牘，心想：敦煌卷子在這兒，他又常年累月看了不少，不妨多跟他討論一下卷子問題。

恰好一九七五、五期文物，載了一篇張永言的：「關於一件唐代的『唱衣曆』一文，裏面談到敦煌刼餘卷子「成字九六號」『目蓮救母變文』的背面，有一段甚為重要的資料，幾十年來，一直被誤用、曲解。尤其研究敦煌變文的人，討論到變文的「解說」，都喜歡引用這一段，但又因為不瞭解唐代敦煌當地的實況，及記錄文字的習慣與名物制度的變化，於是錯得望文生義，以致節外生枝。於是我們由這件「唱衣曆」談到學術研究，必須要有充分的材料，正如臺大前校長傅斯年先生說的：「有一分資料說一分話，有十分資料說十分話，沒有資料就不說話！」想想做學問，學術資料，真是非常重要！就好像衣服的式樣一般，一不求新，就會被人嗤笑「落伍」，趕不上「趟」兒！那夜我們足足談到天亮。陳先生跟我雜七雜八，說了不少，而我自己也摸索到了一些。

諸如：敦煌當時有十六寺，其中三寺是尼寺，他們分別叫大乘、普光、聖光；官府管理寺院有僧官，最高為都僧統、（或都僧政）、其下有僧政、僧錄、法律等；寺有寺主、其下管總務的叫都維那；寺中流水報銷帳冊叫「破除曆」社團活動像修禊或轉轉會之類的輪值通知，叫做「社司轉帖」；畫遺像叫「邈真」，在遺像上題文字叫「邈真讚」；應用文範本叫「書儀」；官度之僧尼有「戒牒」。還有很多記事；或簡寫，或省寫，未弄清楚，自然資料使用起來，就會錯誤百出。像前所舉的成九十六號的背記原文是這樣的：

法律德榮唱紫羅鞋雨，得布伍佰捌拾尺，（雨當是兩，應是鞋一雙爲兩，好像：船隻、馬匹。）支本分一百五十尺；支索（？）延（？）定眞（定眞是尼名）。一百五十尺；支索（？）政會（二索字當是「乘」字，乃大乘寺省記，張氏誤釋。延是尼姓。定眞尼名。政會亦尼名。）一百五十尺，支圖福盈（即雲圖寺福盈。）一百五十尺，賒二十尺。（伍佰捌拾尺，支出四人共六百尺，不足二十尺，賒字或釋餘誤，當是「不足」解。）……僧政愿清唱緋綾錦被，得布壹仟伍佰貳拾尺，舊儭壹仟尺，支圖海明（雲圖寺海明）一百五十尺……金剛唱扇，得布伍拾伍尺……法律道英唱白綾袜，得布參佰尺；又唱黃盡坡（當是黃畫帔，唐代婦女喜用帔肩。張氏誤釋爲黃畫被，不妥！）得布伍佰尺，支圖道明（雲圖寺道明）一百五十尺，支本分一百五十尺，……法律保宣舊肆仟捌佰玖拾尺。（正體字原件係朱色筆跡。）

斷句斷對了這段記帳，則一切問題不致發生；因為很明白地法律德榮唱紫羅鞋兩；僧政愿清唱緋綾錦被（亦是帔字），金剛唱扇；法律道英唱白綾袜；又唱黃畫帔；這些「唱」字是重要的關鍵字。

蓋唐代寺院經濟來源，一方面有寺產收入；也有化緣，做功德捐獻的；更有法師、都講，開示俗講，（像文敘僧講變文，長安萬人空巷，）在講完時善男信女即席布施，簪、珥、環、珮、鞋、袜、衣、帽，扇子、披肩……等隨身物事，幾乎全可奉獻，俗眾所供養或施捨與某主持俗講僧之衣物，並不適僧尼寺中之使用，於是定期舉行拍賣，正如東京夢華錄裏的「關撲」一樣，而當時敦煌為東西貿易轉運站，即所謂的「絲綢之路」的起點，而且自南北朝以來，布匹為有價的交易物，故均易之以布若干尺，猶今日通行貨幣若干；故此「唱」字為估物價之「唱賣」，而非歌唱之「唱」。

可是向覺明在民國二十年出版的《敦煌叢鈔》中引述上段資料，以為僧人書記在外作法事兼唱小曲所得之帳目，而「紫羅鞋兩」，正是所唱「小曲名目」。發表在國立北平圖書館館刊，五卷六期。三年後他又在第十六期燕京學報「唐代俗講考」一文中，依據前引資料，特別立了「僧人之唱小曲」一節，以為此乃「當時僧人書為唱曲所得布施同分配的帳目。」「帳內記有所唱各種小曲的名目，如紫羅鞋兩……」又以為：「唐代僧人為人作法事以外，並也唱一種小曲，以博布施。」於是有人研究「中古自然經濟」，便引此資料以為這是「僧人唱曲帳目」，「其中詳記寺院僧人因演唱變文小曲而得的布的長短」，「可以見出當日西北人以布帛支付工資的情形……。」

後來在民國四十三年，任二北先生的「敦煌曲初探」也引此資料，定為僧人唱曲之報酬：「紫羅鞋兩」等乃「咏物曲子」，並提出「清唱」與「講唱」、「歌舞」、「戲曲」對立；四十七年，任氏另一鉅著——唐戲弄——中，更進一步立「從清唱想象演唱」一節，他說：「法律德榮唱『紫羅鞋兩』，僧政愿清唱『緋綾錦被』……等，均不似故事，宜為詠物之曲……僧侶『清唱』之名，已反映同時存在者，必尚有『演唱』……」如此，則越弄越離譜了。

這個錯誤，主要出在對資料未能全面掌握，「僧政」是職務名稱，「愿清」是僧侶的法名。正如伯二五一五《辯才家教》卷子題記有：「甲子年四月廿五日，顯比丘僧願成，俗姓王保全記。」斯四二二〇、斯四三三二有「願學」，伯三六三一有愿通……，而且伯三五六四號「莫高窟功德記」及為釋願清為其亡父所建之功德，實可證「愿清」是僧侶之法名；而「僧政」即「僧正」，《大宋僧史略》中有「立僧正」條：「所言僧正者何？正，政也；自正正人，克敷政令故也」（新修大正藏第五十四冊，頁二四二。）卷子中斯六三〇七，「都僧正帖」。伯三一五〇，吳慶順典身契：「今將慶順己身，典在龍興寺索僧政家」。伯三六七二乙：「致沙州宋僧政等書」。都是僧政、僧正連稱。

又案唐、五代佛教盛行，社會各階層佈施僧尼至為普遍，如斯〇〇八六記馬醜女施捨給馬家、索家二蘭若的物品，有布一匹，綠錦裙一腰，紫綾衫子和白絹衫子共兩事，絹領巾一事，綠鞋一兩，絹手巾一個」。這些物品，由俗眾納入寺中之「長生庫」、「無盡藏」，於是寺院乃定期舉行分賣。道宣的《四分律刪繁補闕行事鈔》中謂：「今時分賣，非法非律，至時喧笑，一何厚顏！」因其所分賣，多屬衣著飾物，故叫「唱衣」，《釋氏要覽》卷下有「唱衣」條；《百丈清規》卷三亦有「唱衣」條，《百丈清規證義記》卷五有「估唱」條；均有明文詳載。且伯二六三八記清泰三年，河西都僧統算會帳：「己年官施衣物，唱得布貳仟參佰貳拾尺。」「唱」即僧侶之「唱估」衣物；伯二六八九僧人析唱帳；伯三四一〇：各寺布施及僧人亡歿後唱衣曆。所記均為此類帳目，何來「清唱」耶？由於句子會錯意，幾乎讓我誤解唐代和尚都很「黃」，專唱：鞋呀襪呀，扇子被子，難怪韓昌黎要「原道」以「衛道」了！

這些資料，幾乎全流落異邦，假如我們不能接觸原卷，不能像張永言那樣綜合幾處所藏卷子的題記，發現向覺明的謬誤，造成任二北的胡柴，豈不是只有跟著向、任諸公，糊塗一輩子？自己糊塗不打緊，誤盡天下蒼生豈不騰笑他邦？這是向氏所見不真，而任氏等間接引用，造成了笑話。

上面只是說到敦煌卷子裏的一段公案，已是誤了不少人，至於許多新出資料，我們不能知曉，不能下手去參與研究，不能利用以修正以往的謬誤；我們便不配談「學術」了！陳寅恪先生在敦煌刧餘錄序中說：「一時代之學術，必有其新材料與新問題。取用此材料以研求問題，則為此時代學術之新潮流，治學之士，得預於此潮流者，謂之預流，其未得預者，謂之未入流。此古今學術史之通義，非彼閉門造車之徒所能同喻者也。敦煌學者，今日世界學術之新潮流也。」石禪師在他的列寧格勒十日記中，敘述他遠赴蘇俄，探訪敦煌卷子，很感慨地引用了上段話，希望把敦煌研究，收歸我有，使我國學術不但「入流」，而且要把中國人研究敦煌學，變成世界的「主流」，但是在客觀條件不能配合下，不敢者望我們的學術為「主流」，但能「入流」，已是我學術界之光了！

然而要躋於世界華學之流的，豈僅敦煌一臠乎？非也，王靜安先生於民國十四年，在清華大學為暑期學生講的「最近二三十年中中國新發見的學問」講詞中說：

古來新學問起，大都由於新發見：有孔子壁中書出，而後有漢以來古文家之學；有趙宋古器出，而後有宋以來古器物、古文字之學；惟晉時汲冢竹簡出土後，即繼以永嘉之亂，故其結果不甚著。然同時杜元凱注左傳，稍後郭璞注山海經，已用其說，而紀年所記禹、益、伊尹事，至今成爲歷史上之問題。然則中國紙上之學問，賴於地下之學問者，固不自今日始矣！自漢以來中國學問上之最大發現有三：一爲孔壁中書，二爲汲冢書，三則今之殷虛甲骨文字、敦煌塞上及西域各處之漢、晉木簡，敦煌千佛洞之六朝及唐人寫本書卷，內閣大庫之元明以來書籍檔冊。此四者之一，已足當孔壁汲冢所出，而各地發現之金石書籍，於學術有大關係者，尚不與焉！故今日之時代，可謂之『發見時代』，自來未有能比者也！

王氏之言，不僅為學術界公認之事實，諸如殷商甲骨、兩周銅器、石刻史料、漢晉簡牘、敦煌卷子……由清末民初，以迄於今，地不愛寶，歷代墓葬、實物，與夫田野考古，真正是一「發見之時代」！吾人何幸而生於今日，科技昌明，古器物出土之多之精之要，無一不駕凌往昔，孔子歎三代之禮，殷不足徵，今人可直接摩挲殷商甲骨，銅器實物，真是「殷禮斑斑」！乾嘉學者孜孜矻矻，埋首於樸學，字斟句酌，而今日楚漢帛書，隋唐寫本，其價值何止於宋刊明刻？且湮埋千載之佚書，再現人間，吾人不聞、不問、不知、不曉，何能「預流」耶？王靜安先生在他以甲骨證殷本紀及天問、山海經所記殷代先公先王史跡，而作「古史新證」，他在第一章總論中說道：

吾輩生於今日，幸於紙上之材料外，更得地下之新材料。由此種材料，我輩固得據以補正紙上之材料，亦得證明古書之某部份全爲實錄，即百家不雅馴之言，亦不無表示一面之事實。此二重證據法，惟在今日，始得爲之！

當年孟子嫌單一材料之不可靠，故他感慨地說：「盡信書，則不如無書！吾於武成，取二三策而已。」今日我們可於「傳述資料」之外，又可親驗「原始資料」，進行「二重證據法」，讀書做學問的最大快樂，莫過於「發前人之所未發」，「正前人之誤」，「得千古不傳之秘」！否則，拾人牙慧，當個糊塗的自了漢，還有何夠「入流」的「學術」之可言呢！

六十五年春，由巴黎暢遊西歐自由國家之後，取道漢城回國，深深覺得，一定要把在國外所見所感，提供給同仁及同學們，同時也跟隨著石禪師，提倡新資料的瞭解與運用，為入學術之流，而作紮根工作。是年夏天，即奉石禪師之指定，在研究所裏，為碩士同學，開一門：「學術資料討論」。一幌便是兩年了！真惶恐，如何去網羅那麼多可貴的新資料呢？

記得上第一堂課，我便引用石禪師所引陳寅恪先生的那段話！近代學者，如果沒有接觸到敦煌學、甲骨學……等新資料、新學問，對「學術」而言，可以說是未入流，而且研究所在養成未來從事學術研究的健全學者，因此「學術資料」偏重在近數十年中新發現之學術資料的評介，所以介紹多於研究，閱讀查考多於講解；動手、開眼，去接觸新的資料，吸取新經驗，擴大知識領域，訓練利用新材料來解決某些學術問題，進行二重證據的訓練。當然，如何辨別學術新資料，化腐朽為神奇；如何發掘新資料，解決舊問題；所謂「才」、「學」、「識」的培養與提高，於是乎我便按照資料本身的古遠與新近，大約定了一個綱要，當然主題是偏重地下出土的；為了使學生能得一提綱絜領的瞭解，每一材料，總先指定閱讀一些相關書籍，或關於此資料之若干最近文獻，以簡牘資料為例：

西陲漢、晉木簡之發現，與歐人中亞考古有密切關係，於是斯文赫定 Sven Hedin(1865-1952)的《亞洲腹地旅行記》、《羅布淖爾考察記》，斯坦因 Aurel Stein《西域考古記》等為先讀資料；關於簡牘材料的，則有：

1. 斯文赫定：樓蘭所獲縑素簡牘遺文孔拉編，國立北平圖書館館刊五卷四期，有向達的樓蘭所獲縑素簡牘遺文抄——此為晉簡。
2. 沙　畹：西域考圖記——漢、晉簡均有。

3.黃文弼：羅布淖爾考古記——敦煌簡。

有關初期簡牘研究方面有：

1.王國維：簡牘檢署考。王靜安全集。
2.羅振玉、王國維：流沙墜簡。羅雪堂全集。
3.馬　衡：記居延漢筆。國學季刊三卷二期。
4.沙　畹：紙未發明前之中國書，國學季刊五卷一期。
5.張　鳳：漢晉西陲木簡彙編，民二十年
6.馬　衡：中國書籍制度變遷之研究，圖書館季刊一卷二期，民十五年。
7.黃文弼：釋簡牘制及書寫。
8.夏　鼐：新獲之敦煌漢簡，史語集刊第十九本。
9.馬　衡：居延漢簡考釋兩種，考古通訊。
10.余嘉錫：書冊制度考，論學雜著。
11.李書華：竹木簡的起源與古今出土的竹木簡。民五十四年，中研院，李濟先生七十大壽論文集上冊。
12.李書華：近代出土的竹木簡，大陸雜誌二十九卷十期。
13.陳夢家：漢簡考述。五十二年十月考古學報。

以上可說是簡牘發現初期之重要研究文獻，而陳氏綜述西域考古歷次所得簡牘則分為

1. 敦煌簡，共三批：

⑴ 一九〇六—一九〇八年，斯坦因得七〇五枚。

⑵ 一九一三—一九一五年，斯坦因又得八十四枚。簡影見馬伯樂之《中國古文書》。

⑶ 一九四四年，夏鼐於北大河得四十三枚，簡影見其考古學論文集。

共計八三二枚，大部份為敦煌郡玉門都尉、中部都尉所記載之文書，少數為宜禾都尉，但未見有陽關都尉者。

2. 酒泉簡，共二批：

⑴ 一九一三—一九一五年：斯坦因得八十二枚，簡影見馬伯樂之「中國古文書」，報告見於其亞洲腹地考古記。屬酒泉郡西部、北部都尉，少數屬東部都尉。

⑵ 一九三〇年貝格曼於北大河A 42號遺址，得漢簡4枚，屬東部都尉。

共計八十六枚。

3. 張掖簡，即著名之居延漢簡。

⑴ 一九三〇年，貝格曼於額爾濟納河兩岸及黑水城南邊之州井塞得簡萬餘枚，乃漢簡發現以來之大宗，又於破城子一處獲四千餘枚。大多為木製，少數係竹簡，見氏內蒙古額爾濟納河流域考古報告，簡影則分別見於居延漢簡、及甲、乙篇。其內容半屬張掖郡居延

都尉，半屬張掖郡肩水都尉。

(2)一九三七年該批簡曾移至英倫，後歸中國，二次大戰期間，因安全問題保存於美國，現藏於臺北南港中央研究院。

(3)一九四三、一九四九，中研院曾出版居延漢簡圖片之部及勞貞一之考釋共四本。

(4)一九五六—一九五八年，貝格曼出版發掘報告於瑞典。

(5)除貝氏所得現歸中研院外，裘善元氏藏有數十枚，現由臺北中央圖書館及香港之陳仁壽氏分藏之。另黃文弼亦曾獲得數簡。

4.武威簡，此為近年發現之最有價值之漢代典籍簡。

一九五九年，在武威磨咀子六號漢墓儀禮簡九卷及少數雜簡。其中儀禮簡有四百六十九枚，兩萬七千三百三十二字，分別為甲、乙、丙三種本子，此為出土漢簡最偉大者。另有三十五枚雜簡；在十八號墓則出土「王杖十簡」，為古代老年問題之重要資料。因地屬漢之姑臧郡，人或稱之為姑臧簡。

5.羅布淖爾簡

一九三〇及一九三四年，黃文弼又於羅布淖爾北邊，得簡七十一枚，見黃氏羅布淖爾考古記。陳宗器氏以為出土處當稱「默得沙爾」，及漢之居盧訾倉，屬西域都護府。（西域之佉盧族，即漢之居盧訾。）當稱該簡為西域簡或樓蘭簡。

以上五處出土之簡牘，除武威儀禮簡外，皆為當年漢武帝開拓西域，於河西走廊修築邊塞並屯田西域，置亭燧所遺之屯戍文書。其年代以西漢為主，東漢亦略有之。其所包含之地域，則以額爾濟納河兩岸為界之南北二百五十公里；自酒泉、敦煌沿疏勒河以下東西五公里；玉門關與默得沙爾河相距之二百五十公里之範圍。今僅出土一萬一千餘枚，可知遺留該地之兩漢簡牘，當不止此數，此則為邊塞文書之一小部份，其餘可能毀於西域沙漠民族的屠城行為中矣。

談到出土的簡牘，當然也該追溯一下自漢以來，歷史上有記載的有五次，也即王靜安氏所謂新資料出，引起學術上產生新學問的史跡，茲分述如下：

㈠孔壁中書：漢景帝時，魯共王使人壞孔子宅，於壁中石函得尚書、禮記、孝經……等。後漢書周磐傳：「若命終之日，桐棺足以周身，外廓足以周棺……編二尺四寸簡，寫堯典一篇，並刀筆各一，以置棺前，示不忘聖道。」則孔壁書乃為二尺四寸之竹簡也。而千餘年今古文經之爭，即肇端於此。

㈡晉太康二年（西元二八一年），汲郡人不準盜發魏襄王墓，（或言安釐王墓）得竹書數十車，有紀年十三篇，以素絲編之，易經六篇，穆天子傳五篇……還有孫臏兵法，則係以青絲編之，計五十五卷，千六百九十七枚。漆書皆科斗字。（此節朱希祖有汲冢書考詳述之。）書見晉書卷五十一束皙傳。

晉荀勗穆天子傳序：「古文穆天子傳者，太康二年汲縣民不準盜發古冢所得書也，皆竹簡素絲綸，以臣勗前所考定古尺度，其簡長二尺四寸，以墨書，一簡四十字。」

晉杜預左傳後序：「……會汲郡汲縣有發其界內舊冢者，大得古書，皆簡編科斗文字。……始者藏在秘府，余晚得見之，所記大凡七十五卷。」

可見汲冢竹書在杜預注左傳，張華寫博物志，郭璞注山海經……等，均採用了汲冢資料。而古人以書策陪葬事蹟，亦屢見不鮮，除前述周磐外，束皙傳中亦記載有人於嵩高山下得竹簡一枚，上有兩行科斗書，乃漢明帝顯節陵中策文也；晉書皇甫謐傳，遺命：「平生之物，皆無自隨，唯齎孝經一卷，以示不忘孝道。」故其為地下資料之重現，亦必為古代之真實典冊，當亦無可疑。

㈢南齊書卷二十一，文惠太子傳載建元元年（西元四七九年）：「時襄陽有盜發古冢者，相傳是楚王冢，大獲寶物，玉屐玉屏風，竹簡書青絲綸，簡廣數分長二尺，皮節如新。盜以把火自照。後人有得十餘簡，以示撫軍王僧虔，僧虔云是科斗書，考工記周官所闕文也。」

南史江淹傳云：「王僧虔善識字體，亦不能諳，直云似是科斗書。淹以科斗字推之，則周宣王之簡也。」這是有關考工記古文書的。

㈣宋黃伯思東觀餘論：記與劉無言論書：「劉因言，政和初人，於陝西發地得木竹簡一甕，皆漢世討羌戎馳檄文書。若今史案行遣，皆章草書，然斷續不綴屬，惟鄧騭永初二年（西元一〇八年）六月一篇成文耳。」

又同書漢簡辨：「近歲關右人發地得古甕，中有東漢時竹簡甚多，往往散亂不可考，獨永初二年討羌苻文字尚完，皆章草書，書蹟古雅可喜。」

明陶宗儀古刻重鈔亦記漢永初討羌檄：「宣和中陝右人發地得木簡一甕，字皆章草，朽敗不可詮次，唯此檄完。中貴人梁師成得之，嘗以入石。未幾梁卒，石、簡俱亡。故見者殊鮮，吳思道親睹梁簡，故賦其秘古堂。」

三朝北盟會編卷七十七，引宣和錄載有：宋靖康之變，金人向宋廷索取什物儀仗，中有竹簡。唯未記內容數量及何處所得。

㈤書目季刊九卷二期，屈翼鵬先生談竹書紀年文中：「袁子才所著子不語一書略載：雍正年間，陳文勤世伯修孔林，離聖墓西四十餘步，地陷一穴，內有石榻，榻上朱棺已朽，旁置竹簡數十枚，若有科文文者，但取視已成灰了。」

以上為有紀錄的舊發現，前三次的簡牘，可以說在中國學術史上，已有它的不可磨滅的成績，但近年來，大陸大肆發掘，自民國四十年長沙五里牌出土戰國簡三十八枚、徐家灣漢木札一、伍家嶺檢封一起；四十二年長沙南門外仰天湖二十五號墓又出土了戰國楚簡四十三枚；四十六年在河南信陽長臺關發現戰國簡二十八枚；四十八年七月的武威儀禮簡；六十一年元月長沙馬王堆一號漢墓出土遺策三百十二枚二千〇六三字；四月在山東臨沂銀雀山出土竹簡四千九百四十二枚……有孫子兵法、孫臏兵法、尉繚子、六韜、管子、墨子、呂氏春秋、陰陽書、狗經、雜占……等及武帝元光元年的曆譜（較流沙墜簡中元康三年歷早了七十多年），同年十一月又在武威旱灘坡出土七十八枚醫藥簡；六十二年九月在湖北江陵楚故都紀南城西漢墓群出土四百多枚簡；六十三年十一月馬王堆三號墓出土四百一十枚遣策及二百枚左右的醫書簡，及甚多的帛書；六十四年十二月湖北雲夢睡虎地出土一千一百餘枚秦簡……等前後有紀錄可查的新出簡牘資料，大約有二十三宗，總數達七千以上。其內容之豐富，種類之繁多，性質之複雜，學術價值之高，更是難以估量，加上相關的文章，研究報告，部份可見的簡影，僅此一項，已是駕凌古人不知多少，解決之問題，較之羅、王流沙墜簡，及王靜安先生的簡牘檢署考所探討之各事，又不知超出了多少。僅從磨咀子儀禮簡，所知的古代簡冊制度，又豈是王氏所能測知耶？這些資料，都可開拓學術研究的新境域！以上所舉，僅是學術資料中有關簡牘學一項而已。

兩年來我主持此課，由甲骨學、金文、（包含三代、秦漢，如鄂君啟節等）石刻（包括石經、石刻史料、高昌墓磚、漢畫像、玉簡、侯馬盟書、漢魏南北朝墓誌等）、簡、牘、帛書（包括楚繒書、漢帛書）、寫卷（抱括敦煌學、內閣大庫檔等）、錢幣、封泥、瓦當、陶瓷……其中無論任何一項，都可以耗盡人一生之精力；而在九鼎一臠的介紹下，已不是每週兩小時所可能講得了的。於是只有教學生多讀多看，動手找資料，到學期終了，他們相關的專題書目，研究論文的目錄提要，總是洋洋灑灑一大本。我常開玩笑說，做學問像賣豬肉，下肉、上肉，每日市價行情豈可不知？古人常說：「一事之不知，儒者之恥！」吾人生於知識爆炸的今天，新生事物固莫可測其變化，而於舊資料之新出，足以使前代某些學說改觀的學術資料，能不措意乎?·至於書面資料，只有讓同學自己就性之所近，擇其善者而從之了。

民國六十五年六於華岡

（原載於　幼獅月刊 48:2，1978.08，頁 8-12）

談敦煌寫卷的解讀與通俗文學的研究

自從在我國敦煌莫高窟發現了大批南北朝至北宋的寫卷之後，激起了中外學者的興趣與矚目：由於大部份卷子都深藏在歐洲的倫敦與巴黎，能利用這批資料來作研究的學者並不多！尤其是中國的學者，多半不能直接利用這批第一手的寶貴文物來作工夫，十分可惜！所以早期在中國學者中，除了像羅振玉、王國維，以及後來的王重民、劉半農、胡適之等先生外，能真正目驗手摩，面對千年古卷商略新知的，真是少之又少！因而早期中國學界的「敦煌學」研究，只能在輾轉傳抄的二手資料上作工夫，雖然費盡十分氣力，但只能有幾分收穫。不過，這幾分小小的收穫，已經使中國中古時期的文學研究，起了極大的變化，尤其是對通俗文學，更是別開天地！「變文」的發現，引起了講唱、戲劇、小說、寶卷、彈詞……等發展歷史的連繫；輝煌了有宋一代文壇的「詞」，它究竟起源於盛唐的李白？抑是創調於溫、韋？唐五代只有簡短的「小令」，到柳永才有長篇的「慢詞」？可是敦煌曲子詞的發現，那些湮沒千年的作品再發現了，取得了文學史上應賦予的地位；於是「李白決不會有菩薩蠻」；「柳永是慢詞之祖」！種種的紛爭懸疑，如今都澄清了！這真是中國學術史上的大快事。但由於科技的日新月異，今日的世界不僅由於交通的發達，縮小了距離，頻繁了文化的交流，更由於攝影、印刷、複印、微卷的技術提高與普遍的使用，因此，早期的印刷，不能使資料百分之百的傳真，影響了閱讀；輾轉的手抄本，難免習於私見的臆改，不能滿足廣泛地、全面地分析了資料後，對資料的認識與問題的發現與解決，正如科技一樣，它也在「日新月異」，今天能參與盛會，跟各國研究敦煌學的先進們共聚一堂，互相交換心得，茲不揣譾陋，對「寫卷解讀與通俗文學的研究」上，提出一些小小意見，請諸位指教。

一、範疇的確定

我之所以提出「俗文學」一方面來說的原因，主要是我們所發現的敦煌卷子，雖然大都是佛經，但其他方面，如姜亮夫在「敦煌——偉大的文化寶藏」一書中就分佛教經典、道家經典、史地材料、語言文學材料、科學材料……等五大類，其中就文學一項，根據金岡照光先生的「敦煌俗文學」一書，將敦煌文學分講唱體的講經文、變文；散文體的散文俗文、對話體的俗文；韻文體的押座文、敘事詩、讚文、曲子詞、定格聯章、通俗詩類……等，真是包羅甚富，嚴格說來，至今還沒有一位學者，能遍讀分藏在數地的「敦煌寫卷」，當然，所題的各類科別題目內容，只是就已知所知而言的，寶藏無窮，誰也不能比於「家珍」，一清二楚地數個明白，所以我只能暫定「俗文學」中的一小部份的小問題而已。

二、關於旁證資料的解讀錯誤影響主題研究的判斷例

一九七五年五月號的文物，刊了一篇張永言「關於一件唐代的『唱衣曆』」文章，談到敦煌刧餘錄編號「成字九六號」寫卷，正面是「目蓮救母變文」，背面有一段資料，幾十年來一直被認為是段極其重要的資料，但也一直被學者們誤用與曲解。尤其研究敦煌變文的人，在討論到變文的「講說」制度時，都喜歡引用這一段；可是由於不瞭解唐代敦煌當地生活活動的實況，及敦煌寫卷中所顯示的唐代敦煌寺廟中僧侶記錄文字的習慣，與當時名物制度的變化，終於錯得「望文生義」，以致「節外生枝」！該段記錄是這樣寫的：

法律德榮唱紫羅鞋兩得布伍但拾尺支本分一百五十尺支索（？）延（？）定眞一百五十尺支索（？）政會一百伍十尺支圖福盈一百五十尺賒二十尺……僧政愿清唱緋綾錦被得布壹仟伍佰貳拾尺舊襴壹仟尺支圖海明一百五十尺……金剛唱扇得布伍拾伍尺……法律道英唱白綾袜得布參佰尺又唱黃尺坡（應作畫被）得布伍佰尺支圖道明一百五十尺支本分一百五十尺……（旁瘦體原件係用朱筆寫）

此段文字為向達在民國二十年出版的「敦煌叢抄」所引述，以為這是「僧人書在外唱小曲所得賬目」，而「紫羅鞋雨」等乃是「所唱小曲」的名目。其後在民國二十三年，又在燕京學報第十六期，發表「唐代俗講考」一文，依據上引資料，別立了「僧人之唱小曲」一節，說這是「當時僧人書為人唱曲所得布施同分配的賬目」，「帳內記有所唱各種小曲的名目，如紫羅鞋雨……」，「唐代僧人為人作法事以外，並也唱一種小曲以博布施」。這是不能通讀敦煌寫卷記事習慣及「唱」字本義所產生的錯誤！

向氏一錯，便使後之學者引用此段資料，錯得更為離譜！到了民國三十七年，一位經濟學者，在史語所集刊第十本，發表了「中古自然經濟」，認定此為「僧人唱曲賬目」，「其中詳記寺院僧人因演唱變文小曲而得的布的長短」，「可以見出當日西北人以布帛支付工資的情形」，及據以「探討當日西北實物工資盛行的情況」……。民國四十三年，任二北在他的「敦煌曲初探」一書中，也引用這段資料，承襲向氏的目驗記錄，認為是「唐僧唱曲得酬」，「紫羅鞋雨」為「咏物曲子」，並由此推斷唐代已有與「講唱」、「歌舞」、「戲曲」相對立的「清唱」！

四十七年，任氏又出版一部著作——「唐戲弄」，進一步地發揮上述觀點，特立「從清唱想象演唱」一節，說：「法律德榮唱紫羅鞋兩，僧政愿清唱緋綾錦被……紫羅鞋兩等，均不似故事，宜為詠物之曲，……僧侶清唱之名，已反映同時存在者，必尚有演唱……」（任氏十分用功，他的敦煌曲校錄，見重於學界，只可惜他是用二手資料來作功夫，因此一誤再誤！）

張氏提出上項的誤讀誤解，於是提出：

> 事實上，上述幾個研究者對這個資料的解釋都是錯誤的。因爲這個資料裏的「唱」並不是一般唱歌曲的唱，而是當時佛寺特殊用語「唱衣」或「估唱」的唱，紫羅鞋雨等並不是和尚們歌唱的曲子，而是他們唱賣的具體的實物。

接著張氏舉七世紀道宣法師的「四分律刪繁補闕行事鈔」卷下；及「釋氏要覽」唱衣條；「百

丈清規」卷三唱衣條，「百丈清規證義記」卷五估唱條；「禪苑清規」卷七亡僧條…證明「唱」字是「唱賣」，正如東京夢華錄裏逢年過節，小販商人擺攤子大減價公開拍賣的——「關撲」！

張氏並於敦煌寫卷中找出好幾條有關唱衣的史料，如伯二六三八號「清泰三年河西都僧統算會賬」：已（張文誤已）年官施衣物，唱得布貳仟參佰貳拾尺；伯二六八九號即僧人折唱賬；伯三四一〇「各寺布施及僧人亡歿後唱衣曆」；伯三八五〇號背面亦是「唱衣曆」，記載「唱衣」的賬目；他的發現確是可取，諸如此類的唱衣賬的記錄，在敦煌寫卷中，一定還有不少，像伯二二五〇號的背面亦是記錄各寺法會分賬唱衣分布賬作：

龍興寺

張僧政　陰五尺一寸發二丈一尺潤九尺四寸曹二尺

郭僧政　陰五尺一寸發二丈一尺潤九尺四寸曹二尺

二僧政　在張僧政　郭僧政　法律惠淨　法律金剛會

四法律　法律金剛會　崇袖（禮）

瓊巖

和上卅四（旁朱書「唱」字，另有「普妙慈」句）

沙彌廿

乾元寺

李僧政　靈應　愿善（旁有硃書「生」復圈去）　法律祥會　僧廿六　沙彌十六

開元寺……

記錄了五寺僧政、法律等人名冊及人數賬目。

吾人深知唐代寺院經濟來源，一方面有寺產收入；也有化緣；做功德的俗家、僧侶捐獻；更有法師、都講開示俗講。像史籍中所載中唐時文漵僧講變文，歌轉佳妙，長安萬人空巷，遭致官府放逐；當講完時在場的善男信女，即席布施，於是簪珥環珮，鞋襪衣帽，帔肩扇子……等隨身物事，幾乎全部獻上，像斯〇〇八六號記馬醜女施捨給馬家索家二「蘭若」的物品有「布一匹、綠鐲纈裙一腰、紫綾衫子、白絹衫子共兩事、絹領巾一事、綠鞋一兩、絹手巾一個」；斯三五六五記曹元忠布施疏：

弟子歸義軍節度使檢校太保曹元忠，於衙龍樓上，開龍興、靈圖二寺大藏經一變（旁註請大德九人）啓揚鴻願，設齋功德疏：龍紅錦壹疋，新造經袟貳拾壹個，充龍興寺襯；樓綾機壹疋，經袟拾箇，充靈圖寺經儭。生絹壹疋，經袟拾伍箇，充三界寺經儭。馬壹疋，充見前僧……。

其夫人亦佈施供養具、五色錦經巾、綵幡等……都可以說明俗家佈施之物，只要值錢，都可奉獻，像馬匹、糧食、釵釧（見斯五八九七號）半臂、襆頭（見斯〇九六四號）等。這些俗眾所供養或施捨與僧人或寺院之物，有不適僧侶之用者，或無法公平配時，於是定期拍賣，像伯四七八三號為「慕容刺史三周齋，施出唱」（癸卯年）便是設齋做功德佈施之物，拿出唱賣之記錄。又證如伯二五六七背面所記載蓮臺寺之戒懺時諸家散施之帳目。

其次張氏指出第二誤解為「僧政愿清唱」的錯誤，改正為「僧政——愿清——唱」。說明「僧政」即「僧正」，但他舉了很多僧正的卷子記錄，但不知僧正為何職？其實即寺中之主持和尚，其下即「法律」；愿清為僧正的法號，並舉了伯三五六四號卷子乃「莫高窟功德記，釋愿清為其亡父所建」。證明愿清是僧名，而且以愿字排行的僧人很多，有愿學、愿通等……。

張氏更正了幾十年來的錯誤是可取的，這是求真求是的科學態度，但並不徹底！正如我前面所說，敦煌寫卷的習慣，他並未全部弄清楚，所以我還要為他補充幾點：

第一：「支索延定真一百五十尺……支索政會一百五十尺，支圖福盈一百五十尺，……支圖海明一百五十尺……支圖道明一百五十尺……。」張氏不能肯定索字為何義，延字為何義，下加問號，其實僧尼之名上字乃寺名之省寫，在斯二六一四號便記有敦煌十二座寺廟的名字：

開元　乾元　龍興　大雲　報恩　淨土

蓮台　三界　大乘　安國　靈修　聖光

又如前引曹元忠布施的靈圖寺，伯二一七九題記：「延昌三年……燉煌鎮經生師令狐崇哲於法海寺」，伯二二五〇號所記諸寺賬冊有「永安寺」、「金光明寺」，伯二四〇四題記有：「癸丑年十月上旬八日，於沙州永康寺集譯訖」的永康寺，又伯四五一八佛像背面錄有：「中書門下牒賜光明寺僧惠清為僧政」。據陳祚龍先生統計，中唐之後，敦煌一鎮廟寺有十六座，其中像大乘、聖光是尼寺，如伯二一六五號題記：「開元十二年二月十日，沙州寂法師下聽，大乘寺尼妙相抄」，知大乘寺為尼寺。

由於當時僧侶記廟寺名，常常省去一字，這種情形可據伯二一九三號「目蓮緣起」寫卷，此為一全卷，在「今日為君宣此事，明朝早來聽真經」之末，有一行：「界道真本記」字樣，當係「三界寺僧道真本記」之省寫也。這一點張氏未能明白，於是解讀此段重要資料，仍不能完全清楚，故將「乘」字認作「索」字，也許受了敦煌有姓索的，如伯二二五六號的索洞玄。不過張先生想想索延不成辭，所以分別在字下加問號；其實這是張氏的誤解與誤認，卷子作「乘」即大乘寺省記也，「延」為姓，「定真」為該寺女尼之名，這種連名帶姓的記法，在寫卷中是常見，茲不舉例。如果乘字認對了，並知其意為何，則「索政會」便是「大乘寺僧政會」；「圖福盈」即「靈圖寺僧福盈」，靈圖寺海明、道明等，意思便十分清楚了！

第二：「唱」字不是唱歌曲的「唱」字，同時各人紀錄支出都是布一百五十尺，而各人唱曲的報酬，差距甚大，僧政愿清唱緋色的綾錦被，得布一千伍佰二十尺，而同樣法律道英唱黃畫被得布伍佰尺，同為「被」也，價目相差三倍多。既然如此，為何道英不找熱門曲子來唱，可以得錢多些呢？這是不合理的解釋，向、任諸先生為何不深思即下斷語？張氏也因為不十分清楚，所以這段重要引文，他並未完全引出。

第三：「僧政愿清唱緋綾錦被……道英又唱黃畫被……」張氏未進一步解釋「被」為何物，很會使人以為是睡覺蓋的「被子」。這也不合理，俗家布施不可能抱著被子去捐獻，這豈不像詩經裏「抱衾與裯」的「小星」了嗎？根據新出資料，我覺得婦女們捐出隨身的「披肩」是相當可能的。因為在永泰公主墓、章懷太子墓、懿德太子墓中的壁畫裏婦女裝扮，幾乎都有各各顏色不同的「披肩」，就好像斯五八九九所記的「服飾什物賬」，斯五八九七所記的「釵釧雜物賬」等，人們可以捐隨身使用襆頭、扇子一樣；故此「被」字當釋作「帔」；即是婦人愛用的披肩；至於紫羅鞋兩的「兩」字，該是量詞，表示單位，南北朝以來，裙、褲稱「腰」，衣衫稱「領」，物件稱「事」……張氏是定得不錯的。

如此，則張氏之修正「唱」字的錯誤，文義才得圓滿，而後之學者，再引用這段資料，就不會斷錯句、會錯意，那麼唐代和尚也就免去唱肉麻的黃色歌曲之譏，而唱歌的代價與清唱、演唱，便都不成立，我們也就不必要再去望文生義的去附會了。

三、關於不能直接細讀原卷失之私心臆測之弊

至於像王重民、周一良等所編的「敦煌變文集」，在上冊三十二至三十五頁，收有伯五〇三九孟姜女故事殘卷，僅在半面二十二句中，從原卷比勘，就有三句有錯字，即第十二句：「冒涉風霜捐氣力」，「捐」字原卷作「損」，用損字才通，不知何故改「捐」？第十五句：「其妻聞

之大哭叫」，「之」為言之誤，「聞言」是多麼明白？第十八句：「妾亦更知何所道」，「知何所」三字乃「如何知」三字之誤，我們不能以俗得文句不通，認為才是變文的佳處，豈非自我作古？原句本是：「既云骸骨築城中，妾亦更如何知道」？這樣子，才有動人心魄的滴血認骨之舉；如照原集句子，則不知所云了！

當然這是一件繁雜龐大的工作，雖然我們享受了變文，但因為資料的散亂，到目前仍然還沒有一本十分令人滿意的「敦煌變文的本」，不過，由於條件的特殊，加上法國華學泰斗的重視敦煌研究，卻有一本令人欣喜有研究、有釋文、有卷子影本（可惜仍是不全）的《敦煌曲》，這本書的中文部份，是由饒宗頤先生執筆的，由於本人在一九七四—七六，在巴黎研究，曾經在國家圖書館，東方手稿部看了好幾個月的敦煌卷子，在展讀之餘，覺得在饒先生的釋文部份，仍有一些小問題，值得商量的，今略舉如下：

《敦煌曲》頁二三六，伯二七四八：〈思越人〉：美東隣，多窈窕一首：

> 美東隣，多窈窕，繡裙步步輕擡。獨向西薗尋女伴，咲小時，雙瞼連開。山牟分手，低聲問，忽忽恨闕良媒。怕被顛狂花下惱，牡丹不折先迴。

其中「山牟分手低聲問」一句，饒氏無說，十分不辭，今檢原卷，乃是「少年公子低聲問」，「少年公子」是當時青少年的通稱，如《雲謠集》中拋球樂：「珠淚芬芬濕綺羅，少年公子負恩多。」這首詞是說東隣處子到西薗尋女伴，不意碰到輕薄的「少年公子」來跟她「搭訕」（恨闕良媒，洛神賦：「無良媒以接歡兮，淚流襟之浪浪」）嚇得她牡丹不折就逃回「東」宅去了！多麼鮮活？若是約會「分手」，又何「怕」之有？而且「山牟」也不知何意，我認為當從原卷更正。

在同頁〈怨春閨〉一首下半闋：

……夜久更深，羅帳虛薰蘭麝。頻頻出户，迎取嘶嘶馬。含笑闔，輕輕罵。把衣撏撦。叵耐金枝，扶入水精簾下。

這裏的「含笑闔，輕輕罵」的「闔」字，也是饒先生誤認了，審視原卷，分明是「覷」，虛字右旁著一「〜」可能是「覷」字草書，在怕三二三七南歌子一首：「悔嫁風流壻，風流無準憑。攀花折柳得人憎。夜夜歸來沉醉，千聲喚不應。回覷簾前月，鴛鴦帳裏燈。分明照見負心人。問道些須心事，搖頭道不曾。」這首同樣是描寫空閨少婦之怨，〈南歌子〉這首的風流壻是喝醉了回來，爛醉如泥，叫也叫不應，她回覷簾前月和帳裏燈，照著沉睡的醉漢，是種無可奈何的情境；而〈怨春閨〉的夫壻，也是辜負好天良夜月，在外喝酒，讓她獨伴紅燭，空守羅帳；忽然聽得馬嘶，伊回來了，能騎著馬回來，表示還未沉醉，但已是眼斜口歪地醉態可掬，但男的表示歉意，對她來個傻笑「含笑覷」，可是佳人只要他回來一切愁腸恨意，全都消了，回報他的是「輕輕罵」，也許還有伴送這半醉人歸來的客人，「別罵了，留點面子吧！」所以扯扯她的衣衫；也許是女的一邊罵，一邊扯他進門，埋怨他又「貪杯」，饒先生釋作「叵耐金枝」，也不能理解，細審原卷，「貪」字很清楚，不像「金」字，「杯」字下有正面筆墨影痕成「枝」，可能誤認成

「枝」字，「叵耐貪杯」，這多傳神？小兩口你笑我罵，你扯她衣衫，她埋怨你「貪杯」，罵歸罵，埋怨歸埋怨，幸而沒有爛醉如泥，所以「扶入水精簾下」去了！假如用個關門的「闔」字，多麼庸俗不耐？而且情景不合，要先扶著醉了的人呢？還是來不及關門呢？如果用「金枝」，那是男的捨不得女的，既然捨不得這般「金枝」玉葉，又為何辜負「好天良夜月」，害得她「淚濕紅羅帕」呢？也是矛盾的！饒先生新增這幾首是有收獲的。但解讀似乎不曾十分令人滿意，今年十月趁到巴黎參加第一屆國際敦煌學會之便，在國家圖書館又看到伯二六三三崔氏夫人要女文中有「夫壻醉來含笑問，迎顧伏侍若安眠；莫向人前相辱罵，醒後定是不和顏」，這是多珍貴的發現？簡直就是這首詞的注解！

又二六五頁，伯三二七一卷子的敘述部份：饒先生作

> 此卷正面爲論語卷五，末行記云：「乾符四年丁酉歲，正月十三廳堂內記也」……

「正月十三廳堂內記也」之「廳堂」乃「廟堂」之誤，如伯二六四一號題記有：「丁未年六月修廟堂」之開支帳目。故前卷題記實為「廟堂」，字亦作「廟」右邊小有破損，但「廟」字部份甚為清晰也。且當時「學仕郎」亦多在寺中求學，如何作「廳堂」？同樣地饒先生記伯二八〇九號卷子：

> 此卷氏本頗長，前有七言變文。曲子凡孟姜女（搗練子）二首……

根據伯二八〇九原卷觀察，卷子為十二分寬，一公尺的小卷子，前有二十七行「勸善文」，

其中第十二行下句作：「貧是慳貪宿業因……」隔兩行後接抄孟姜女四十二行，到「我是曲江臨池柳」，以下另紙接抄至六十五行接反面，反面雜亂抄寫詩句，文字不清，不能辨句讀，四十二行後所接之紙較前為新。並無變文，遺書總目索引，亦作「勸善文」而非「變文」，不知饒先生何據？

又在二五二頁，伯二八三八《雲謠集》中〈魚歌子〉下闋：

> 淡匀粧，固思妙。只爲五陵正渺渺。
> 胸上雪，從君咬，恐犯千金買笑。

其中「淡勻粧，固思妙，……恐犯千金買笑。」有兩個字值得推敲：一是固思妙的「思」字，恐是饒先生的筆誤！原卷字正作「施」，任二北校錄作「周旋」云：「『周施』原作『固施』，朱本校改，劉書『醜女緣起』：『每日家家赴會筵，家家妻女作周旋；玉貌細看花一朵，嬋娟窈窕似神仙。』二字當同義。」任二北先生未見原卷，朱彊村同樣也未審視原卷，因而對此二字作臆測性的改動，其實不該改！上句「淡勻粧」是說在打扮，而下一句忽然作「漂亮妙」，有點太牽強，我以為「固」是「故」之誤，雲謠集柳青娘「碧羅冠子初結成」一詞中：「固著烟脂輕輕染，淡施檀色注歌脣。」跟這兩句幾乎情意全同，「固」即「故」、「烟」即「胭」；像這樣描寫打扮的句子，在《雲謠集》裏很多。又如〈傾盃樂〉：「臉如花自然多嬌媚。翠柳畫蛾眉。橫波如同秋水。」浣溪沙：「麗質紅顏越眾希。素胸蓮臉柳眉低。」「鬢綰湘雲淡淡粧，早春花向臉邊芳。」〈內家嬌〉：「輕輕敷粉，深深長畫眉綠。」〈拋球樂〉：「蛾眉不掃天生綠，蓮臉能勻似早霞。」幾乎都是不離臉、眉、眼、脣，因此這句「故施妙」，仍應是「輕輕敷粉（淡淡粧）」、「深深長畫眉綠（故施妙）」也正是「故著胭脂輕輕染，淡施檀色注歌脣。」十分自然，不必牽到醜女緣起去找「周施」的例子。因為她要悉心打扮，抓住那一擲千金的五陵少年，但他們還未來到，「正渺渺」也。下兩句是心底話，除了用色來籠絡，連軀體也不在乎了！為何如此犧牲呢？恐五陵少年，拿著千金向別的狂花年少去買笑！所以末句「犯」字，雖然任先生竭力主張上文「休戀」正好對「恐犯」，改把作「淺且淡」，我認為仍應是「把」字，〈鳳歸雲〉的第二首：「枉把金釵卜，卦卦皆虛。」的把字，還有伯二八三八同卷前首：「洞房深，空悄悄，虛把身心生寂寞。」字形非常相近，作「把」、「把」，此處同一卷，抄手同一人右旁均作「巴」，何必臆改成「犯」字？

又同書二六〇頁，曲子〈浪濤沙〉一首：

> 卻掛綠蘭用筆章，不藉你馬上弄銀槍。罷卻龍泉身擐甲，學文章。　捻取硯筒濃捻筆，疊紙將來書兩行。將向殿前傳消息，也是爲君王。

第一句「綠蘭」二字，饒先生並無解說，也不確定何義，任二北改為「綠襴」，初探並有詳考，我以為應從任說，在唐代詩歌中常以服色表示官階，如伯三一二八本卷前三行同調：「好是身霑聖主恩。紫寧（任作襴）初著耀朱門。」白居易琵琶行：「江州司馬青衫濕。」舊唐書：「上元元年，勅文武官三品以上服紫，四品深緋，五品淺緋，六品深綠，七品淺綠，八品深青，九品淺青。」所以任考可取，故應為綠襴，即六、七品之官服也。

第四句「學文章」之「學」字，我以為也改得不好，細審卷子作「聲」，同卷曲子〈菩薩蠻〉：「早晚滅狼蕃，一聲拜聖顏。」任本作「齊」，饒先生亦從之作「齊」，此處同，當應作「齊」，諧「寫」字，掛著官袍，收起寶劍，不及解甲，就「寫」軍書；這樣比較通。

第五句「捻取硯筒儂捻筆」，這是任二北先生的想當然而改，饒先生也不加細察，本是一首征人之詞，也當情詞看了！試想在軍馬倥傯之際，如何能「你儂我儂」呢？原卷本作「捻取硯筒濃念筆。」任氏校錄謂：「筒待校。」其實任先生未見考古資料，在長沙左家公山出土的毛筆，便是一枝細筆藏在此筆長而大的筆筒中；我們也看到古代埃及人的筆，也用較大的筆筒，將筒壁一部挖去，在管內洞穿部份，塞以書寫用的墨，恐怕這便是「硯筒」了！解決了「硯筒」，那「你」、「儂」二字都該還原，所以這一句是：「捻取硯筒濃捻筆」，意即拿起硯筒，抽出筆來，濃濃地沾飽墨，準備寫字，何須將軍在草檄文的時候，還找個女性替他作書童？與胡蕃作戰，可沒有那般悠然閒情的！也掩卻了軍旅的豪情。多可惜！

二百六十一頁，同卷〈望江南〉龍沙塞上片：

龍沙塞，路遠隔煙波，每恨六蕃生留滯，只緣當路寇仇多，抱屈爭奈何。

每恨「六蕃」句，饒先生註⑥伯三九一一，二八〇九，六蕃作「諸蕃」此卷作「之蕃」，其實「之」、「諸」同聲，不改更好！下一句：「只緣當路寇仇多」，註⑦伯三一二八（本卷）斯五五五六作「把截」，伯三九一一、二八〇九作「當路」，我以為不必改為「當路」，而「把截」實是「犯截」之訛，「犯截」即「犯闕」之諧音，蓋前首此句為：「數年路隔失朝儀。」路隔二字為去入，犯闕亦是去入，下一首同句作：「常聞大國作長城」，大國亦為去入，詞律本來亦是統計多數，這是必然的現象，古人亦常說邊塞之民常稱兵犯闕，比「當路」、「當道」要明確得多！

二六三頁〈蘇幕遮〉聰明兒一首之下片：

善能歌，打難令。正是聰明，處處皆通閅。久後棄官應決定，馬上盤槍，□佐當今帝。

其中「久後棄官應決定。」的「棄」字，饒先生亦改得不妥，任本作「策官」有些望文生義，大概想到木蘭辭的「策勳十二轉」了！我們仔細觀察伯三八二一卷子，此字作「卄」，上半正是行草的「卄」字，所以正字應是「榮」字，是說久後一定榮任高官是可以預知了！任氏作「策」到還近是，但檢詞律，此處應是范仲淹的「明月樓高休獨倚。」周邦彥的「五月漁郎相憶否？」二字幾乎都是作平。而且文意並沒有陶彭澤的「歸去」之意，否則下句的「馬上盤槍」就接不上了！末句當依任氏校錄補一「輔」字，或為求真不私己意，可加上「□」號。這樣不不致令人誤引。

四、卷子書寫的習慣問題與抄寫的符號

還有在二七六頁曲子望遠行年少將軍那一首：

年少將軍佐聖朝，爲國掃蕩狂妖，彎弓如月射雙鵰。馬蹄到處盡雲霄。……

其中「馬到啼處」饒先生註④「『到蹄』二字倒置，應作『蹄到』。」此註實在是不必要。我在開頭就說過，如何通讀敦煌寫卷，主要的任務，固然是在字句的推敲，筆畫的斟酌，當然也須注意抄手記載的習慣；但最基本的還是要告訴後輩，認讀寫卷更須先知道當時人的書寫符號，記得在胡適先生那個時代，由於不知行間字旁的刪節、點除、顛倒……等符號，常常誤打誤撞，增加不可理解的枝節，今細看伯四六九二卷子，在「到蹄」二字之旁就有一個「\/」符號於蹄字的右肩上，這是顛倒符號，饒先生不當在註裏說「應作」，其實這位抄錄人在當時便知二字顛倒，在字旁打了顛倒符號，是應該給予說明的！但在同首的註⑥卻又有「罷上原有還字，加「卜」號以示刪去。」可見饒先生卷子是仔細看過的，何以顧此失彼呢？

五、增加材料和補的問題

《敦煌曲》中增加了不少新曲，可是以能姿意展讀深閉在國家圖書館中敦煌的卷子的饒先生，當不會以那編註簡陋的「敦煌遺書總目索引」作「堪靠燈」，其實很多寶藏未啟。很多卷子中仍埋藏了不少訊息，像伯三一五五，正面為老子答孔子問，約二紙，後接女子三從四德雜抄……反面先雜抄社司轉帖，又抄了天復四年歲次甲子捌月十七日僧令狐法性的賣地契後，接抄曲子〈浪

淘沙〉（任二北改浣溪沙）

> 五里江頭望水平。爭（征）范（帆）才動樂單（？）傾。□□路舡停卻，信前逞。妙妙（渺渺）弘（洪）波舡點點，看山恰似走來迎，子姓（細）看山山不動，是舡行。
>
> 一隊風來一隊陣。萬里條條（迢迢）不見人。陸上無水受□□，使風茂（滿），斑山不迭玷鷲遠，□□到我□□□……

前一首雖和「五里灘頭風欲平」一首差不多，其實還有很多字不同，不能認為是一首，如果態度如此寬緩，那清儒所作詞譜、詞律的又一體，不又是多餘了嗎？我以為該補。

又如和尚偈語、五更轉、十二時、勸世百歲篇也收了不少，但像伯三三六〇的真覺和尚偈：

> 窮釋子，口稱貧。實是僧（身）貧道不貧。貧即身常被縷褐，道即心藏無價珍。無價珍，用無盡……

我們細看它的句型，頗似〈搗練子〉，也是可以錄入《敦煌曲》中以備參考的。諸如此類的零篇單章，亦復不少。以上所提，饒先生或將不以為然，但「學術愈辯愈明，道理愈辯愈真。」這是從事研究工作的人，大家所公認的！

六、小　結

以上所舉各例，以及個人在巴黎國家圖書館實際觀察原卷所得，可以概括地說明：今天吾人如果利用這第一手資料的敦煌寫卷，基本上必須具備若干解讀的條件，諸如當時人的書寫習慣，省略符號、生活語言、社會風習、用詞用字、正楷俗寫、音同假借、訛文別字、卷子時代的考定、修繕補接等情狀，原卷抄錄態度及用途、目的等……在在均當有充分的瞭解與利用，方能算入了「敦煌學」的門，而所作的有關工作才能真正有益於學術界研究與引用。

（原載於　古典文學第一集，台北：臺灣學生書局，1979，頁97-114）

讀吳經熊博士翻譯之聖詠
兼談今日文學作品翻譯之方向

從我開始讀書起，便接觸了許多中譯的世界名著，在小學裏，像愛的教育，伊索寓言，天方夜譚等，幾乎百讀不厭，初中讀小婦人，莎氏樂府本事，基度山恩仇記等，也還痛快淋漓，到了高中，英文老師間嘗也介紹一兩段莎翁的羅米歐與朱麗葉，要我們背誦，並且介紹我們去欣賞鑄情記之類的電影，雖然面對名著，實在說不上有多大感受，除了注意一些曲折的情節或優美的詞句外，還談不上繙譯上的推敲。擠進大學之門，雖然終日與線裝的中國典籍為伍，三餘之暇，也附附時髦，讀一些水準以上的繙譯名著，如簡愛，傲慢與偏見，娜拉，包伐利夫人，神曲，浮士德，蝴蝶夢，高老頭等名著的中譯本，但除了讀它們的故事結構或情節發展外，也還不能體會出一部優美文學作品的美與內涵來，因為大多數的中譯本都患了一種毛病，那便是生吞活剝地原文直譯，尤其倒裝式的歐美句法，西方人的典故，俗語，讓一個語言不同，風俗迥異的東方人讀來，頗覺捫燭，尤其像莎翁的名劇，它不僅是情節動人，主要是他的文句，創造了今日英國文學的典型，這其間自有他們英美人士心儀口碑的優點在，而這種令人心嚮往之的優美作品，必有賴於他們自己的悠久獨特的文化背景為基礎，這就好像中國人吃飯用筷子，西方人進餐用刀叉的不同一樣。

中國近代的繙譯事業，自明萬曆天啟間耶穌會傳教士介紹西學東來後，到目前為止，已歷三四百年了，其間如徐光啟、湯若望等開風氣之先，有清以來像嚴幾道、林琴南等可謂一代大家，而自五四之後，傳譯工作蔚為大觀，今日書肆裏，除了中國典籍或原文書籍外，繙譯的作品，數量極為可觀，但是在如許多的譯本中，能找到一本極能傳神（姑用此言），而又十分純正中國化的，卻百難見一，這在溝通中西文化的功效上來說，是頗不理想的。

當然繙譯的工作是艱巨的，譯者不僅要有很好的外文能力，更要有高度的中文修養，不僅要具有語文上的修養，更要對這兩種文化有深切認識，才不致只見皮毛地把葫蘆改作瓢，似是而非，才不致生吞活剝地查字典逐字翻譯，顛倒錯亂，莫知所云，甚至比原文更難讀，難以理解。一般說來，字面的繙譯並不困難，難在字面背後所代表的內涵。前人對繙譯曾提出「信、達、雅」的三個標準，這已為繙譯界的金科玉律，而這三個要求的重點，很顯明的，仍在內涵上。

對繙譯我是門外漢，但我卻是忠實的翻譯著作的讀者，最近有機緣得瞻仰繙譯界的巨擘，國際馳名的學者——吳經熊博士，並親聆他老人家談到繙譯上的基本精神與若干原則，一席話是他幾十年來從事繙譯工作的心得，聽了真是勝讀十年書。又蒙他他贈給早年繙譯的「聖詠」一冊，捧讀終宵，不忍釋手，吳博士所說的話，一一都可在「聖詠」譯本裏找出例證。

吳博士所譯的「聖詠」，便是舊約裏一百五十首的「詩篇」，在目前流行的聖經裏，詩篇並無篇名，書眉有提示該詩之大意或用途，如第一首上題：「善惡之比較」。第一百二十二首上題：「為耶路撒冷求福」第三首上題：「晨興之祈禱」等，有些詩篇目下有小序，記載詩為誰作，為何而作，用何種樂器伴奏，如第三十二首小序說「大衛的訓誨詩」；第六首小序說：「大衛的詩，交與伶長，用絲絃的樂器，調用第八」。有些則無任何附記，然而吳譯書中，一百五十首都給他們一個典雅、道地的中國詩篇名字。這是吳譯的獨特之一。

我之所以稱他為典雅，獨特的原因，是由於他的每個標題不僅像中國傳統詩題一樣地總括全篇詩旨，而且每個標題都是出自中國典籍中經、子、詩、文、道地中國化，如七十一首的「否極望泰」，一百十二首的「同心之言」，十七首的「无妄」則取自易經；十三首的「夜如何其」，六十一首的「伊於胡底」，八十一首的「高山仰止」，一百三十三首的「和樂且耽」則又取於詩經；四十七首的「大同」，四十九首的「潤身與潤屋」，一百二十七首的「心廣體泰」，則取於禮記；七十首的「虧盈益謙」取於尚書，而三十四首的「知味」，二十三首的「良牧」，九十三首的「王道與霸道」，一百零九首的「自作孽不可活」，二十五首的「安宅與正路」等則又出於論孟；又如二十二首的「受天下垢」，一百三十八首的「道與名」，第九首「神與人」，一百十五首的「真宰與偶像」，一百三十五首的「造物與受物」，取於莊老，六十九首的「孤憤」取於韓非，一百四十首的「因果」取於佛，十一首的「答客難」取於文選，而八十一首的「存天理去人欲」，一百十七首的「仁與誠」等則又出於理學；像四十五首的「天作之合」，第八首的「萬物之靈」，六十四首的「天網恢恢」，一百四十五首的「光天化日」，一百四十七首的「大地回春」，則又為我們常掛口邊的成語；像一百三十七道的「憶昔」，六十三首的「明發不寐」則又仿古籍標題多取於首句文詞。這些標題不是溝通中西文化者，不能引用得如此典雅妥切。而且在我們看來，直把它看作中國的詩篇，並無半點陌生隔閡之感，標題是文章的眉目，眉目渾不似，其餘就不必談了，這是「聖詠」另一個獨特處。

通常繙譯作品，能夠譯出大意，便已是不簡單了，而譯文能傳神達意兼又做到文學典型美者，則又不多見，詩篇原本為沒有韻腳的希伯來文，而英法等文的譯本，也只能傳其詩意而無法顧到詩的形式與押韻，「詩篇」顧名思義是可唱誦的韻文，可是譯成的中文舊本，都是些長短不齊無韻的散文句子，而吳博士運用他洋溢的天才，深厚的國學根底，把一百五十首的詩篇。紛紛譯成中國詩，賦，辭，樂府，絕律，新樂府，道情等各種純中國文學形式的詩歌，其中有三言，四言，五言古詩，七言，長短句樂府等。正如吳博士說：「繙譯不是一是一，二是二地照原文直譯，是意譯，而且是再造性的意譯。所以繙譯也是創作，是藉翻譯原作的素材內涵為因緣，轉而創出自己文字的新作品，因此繙譯出來的新作品是另一個完整的新生，而不是依樣畫葫蘆，是的，這是「聖詠」繙譯的最大特色。讓我舉出一些舊譯的中文「詩篇」原文，和新譯的「聖詠」對照看看：

詩篇第一：善惡之比較

不從惡人的計謀，不站罪人的道路，不坐褻慢人的座位，惟喜愛耶和華的律法，晝夜思想，這人便爲有福，他要像一棵樹栽在溪水旁，按時候結果子，葉子也不乾枯，凡他所作的，盡都順利，惡人並不是這樣，乃像糠粃被風吹散，因此當審判的時候，惡人必站立不住，罪人在義人的會中，也是如此，因爲耶和華知道義人的道路，惡人的道路，卻必滅亡。

聖詠　第一首　君子與小人

長樂惟君子　爲善百祥集　莫偕無道行　恥與群小立　避彼輕慢徒　不屑與同席　優游聖道中　涵詠徹朝夕　譬如溪畔樹　及時結嘉實　歲寒葉不枯　條鬯靡有極　惡人徒狡黠　飄飄如糠屑　悠悠逐風轉　何處是歸結　惡貫既滿盈　天人共棄絕　我主識善人　無道終滅裂

我們可以從上首詩文中得知詩篇的大意，而於新譯中不僅原意保有，而且詞句融鑄，文章的貫串，筆力的簡潔，文辭的典雅，韻叶、章法、無一不是雍容華夏之風，這便是通而不隔，信達而雅！

又如詩篇第一百十七：勸萬民讚主

萬國啊，你們都當讚美耶和華，萬民哪，你們都當頌讚他，因爲他向我們大施慈愛，耶和華的誠實，存到永遠，你們要讚美耶和華！

聖詠第百十七首：仁與誠

普世誦恩　萬民謳德　仁育無邊　至誠不息！

前面用五十個字，很嚕囌的句子來繙譯，而後者祇用了區區十六字，意義也全都包括了：正如黃季剛氏文心雕龍札記隱秀第四十說：「夫文以致曲為貴，故一義可以包餘，辭以得當為先，故片言可以居要。蓋言不盡意，必含餘意以成巧；意不稱物，宜資要言以助明」。以少數字而含多數字之意，毫無掛漏，這豈不是「片言」「致曲」了？而後兩句八字正將上帝廣愛永施，萬姓永頌，用經籍之成語：「至誠不息」，真是驅要言以成巧，而餘意盡包，此非大手筆莫辦！又如

聖詠第四十二首　渴慕

予心之戀主兮，如麋鹿之戀清泉，渴望永生之源兮，何日得重覩天顏？人問爾主安在兮？朝暮涕淚漣漣，……于嗟予心胡爲乎鬱悒以悲苦兮，盍不委心於天帝？望天帝之莞爾兮，若久雨之新霽……。

此種章句，直是上逼楚騷，又如

聖詠第四首第二章：

眾庶喁喁望，何日見時康，吾心惟仰主，願見主容光。主已將天樂，貯我腔子裏。人情樂豐年，有酒多且旨。豐年誠足樂，美酒豈無味。未若我心中，一團歡愉意。心曠神亦怡，登榻即成寐。問君何能爾，恃主而已矣。

這首詩不僅渾然入魏晉之臺閣，頗有田園詩風，而嵌用靖節先生之詩，自然渾然，不見斧鑿

之跡，更見高妙，讀來令人不覺為繙譯之詩篇，又如：

聖詠七十八首，先民之頑梗

咨爾百姓，諦聽吾訓。啓唇設譬，發古之蘊。歷祖所傳，吾言有本。以授子孫，寧容有隱。俾我來胤　咸知歌詠……

聖詠八十四首，眷戀庭闈

啁啁之雀，樂主之廬。燕亦來巢，言哺其雛。優哉游哉，雅瑋之徒。聖門之內，可以安居。弦歌不絕，和樂以舒……

仰賴所天，終日乾乾。永懷大道，神形兼全……

前所繙譯，雖為聖詩，而出入書、詩、易、老、莊，縱橫捭闔，讀來餘味無窮，耐人咀嚼，正如黃季剛氏文心雕龍札記事類第三十八所說：「文之為用，自喻喻人而已，自喻奚貴？貴乎達！喻人奚貴？貴乎信！引事引言，凡以達吾思而已，若夫文之喻人也，徵於舊則易為信，舉彼所知則易為從……。」黃氏所言固為創作之理論，而吳博士以繙譯為再創作，復又達而喻意，引舊言徵獻，舉吾人之所悉知的文句辭彙，則又冥含黃氏之所論，而吾人讀來，怎不「於我心有戚戚焉」？

同樣譯一段文學作品，工拙雖不同，但信、達、雅則是共同的標的！吳博士曾說，繙譯不僅要用純粹的中國語言，更要能活用成語，才最容易打動讀者的心！而從上面所引的詩句，不難找到純熟地運用了中國固有典籍中的常用成語。又如：

聖詠第七首，被誣的末章：

主是護身符，永保正直人。天威何顯赫，裁判公且明。磨刀霍霍箭在弦，人不回頭將受刑。兵戈火箭莫不備，誰能不畏主之嗔……

聖詠第一百二十二首：同心之言

良朋邀我上聖山，相偕入殿謁天顏，同心之言馨如蘭。

聖詠第三十六首，活泉末章：

……我心正直人來蹂躪，長已矣，橫尸遍野不復起。

這些詩篇，都是聲韻鏗鏘的樂府，漢、魏、盛唐亦不過如是，而我們讀來，並不覺有絲毫異味（借先生「知味」篇之注釋），中西之道，會而為一，其情其理，宛然紙上，陶然胸次，這真可說是最高的繙譯藝術了！像聖詠第一百零五首，全篇用三字句，簡直就是一篇新編的三字經，可算是繙譯史上的的奇構。又如：

聖詠第六十九首：孤憤

水汜濫兮侵魂，求吾主兮來援，身深陷兮泥中，欲自拔兮無從，漂入兮深淵，滅頂兮狂瀾，呼籲兮力盡，喉舌兮焦乾，候主兮不至，望眼兮欲穿！

惡黨紛紛兮，擢髮難數，無理而與我爲仇兮，洶洶然其相侮……

夫予以蒙恥而受辱兮，非爲主之故乎？即吾同胞之兄弟兮，亦因是而視予爲陌路……

……飽受侮辱兮腸斷，幽憤塡膺兮神昏，舉目無親，誰與同情，欲求相慰，闃其無人……。

這種譯句，眞是神來之筆，不曾優遊涵泳詩賦楚騷中者，何能出此？而且滿篇洋溢著情與眞，這又是普通譯筆所能做到的？總之，百數十篇譯詩，無一不是佳構，最後讓我們再對照地讀一首既是譯作也是創作的七絕：

詩篇第一百三十七：被擄於巴比倫者之哀歌：

我們曾在巴比倫河邊坐下，一追想錫安就哭了，我們把琴掛在那裏的柳樹上。因爲那裏擄掠我們的，要我們唱歌；搶奪我們的，要我們作樂，說給我們唱支錫安歌罷，我們怎能在外邦唱耶和華的歌呢？耶路撒冷啊，我若忘記你，情願我的右手忘記技巧。我若不忘記你，若不看耶路撒冷過於我所最喜樂的，情願我的舌頭貼於上膛，耶路撒冷遭難的日子，以東人說拆毀！拆毀！直拆到根基，耶和華啊，求你記念這仇，將要被滅的巴比倫城啊，報復你，像你待我們的，那人便爲有福，拿你的嬰孩摔在磐石上的，那人便爲有福。

然而在抗戰時期，吳博士被日寇囚禁於香島，百般威逼利誘，要迫他作高級文化幹部，吳博士飽嘗酷虐，矢志不屈，終於脫險回到自由區，當他在桂林繙譯這首詩，完全是詩篇一百三十七首的內容，舒洩他當年眼看日寇肆虐，河山殘破，身陷魔窟，飽受苦痛的經歷。假若我們知道了這一段經過，那麼我們便不能把一三七首譯詩，視同單純的譯作看了，譯詩全文如下：

聖詠第百三十七首　憶昔

憶昔淹留巴比倫，河濱默坐泣西溫（即錫安）。白楊枝上掛靈瑟，遙寄鄉思到帝村。敵人戲弄恣歡謔，勸我謳歌一笑訶。身作浮囚淪異域，誰能含淚唱鄉歌？一心惟戀瑟琳（即耶路撒冷）城，雖落他邦未失貞。倘使鳴彈媚仇敵，手應絕藝舌吞聲。猶憶瑟琳遭難日，夷東（即以東，影射日人）蠻子競相呼。摧殘聖邑方爲快，祈主毋忘作孽徒。巴比倫人恣劫奪，可憐稚子亦遭殃。誰能一雪斯奇恥，靈澤潤身萬古芳！

總之「聖詠」一書，不僅是最高的繙譯手筆，而且是中國傳統韻文式的聖詩的新生，譯者不僅精通歐洲幾種語文，而且如果未嘗出入經子，涵泳詩賦，對國學有極高深的造詣外，是不能做到的，同時這本書不僅將西道中化，而且也是一部最中國化的基督詩歌。祇要是中國人來讀它，沒有不驚歎於吳博士才氣蓬勃的彩筆，沒有因是直譯而有佶倔生吞的障礙了，詩篇本身固是一部千古聖典，而譯作也將是中國譯著中不朽宏篇。

民國五十五年九月於華岡

（原載於　中國一周，1966.09.26，頁 20-22）

西周銅器銘文研究之商討

一、引　言

銅器的被發現，當然不是起於近代，遠在周秦，它們是社會上流行的用具；但秦漢而後，器用制度改變了，前世的銅器，有的早被湮沒，有的被銷燬，有的被當作古董。雖然它們上面刻有許多文字，但是一直沒有被學術界所重視；雖然在那時他們也疑古、考古。像太史公的周遊名山大川，實際考察古蹟，來說明史籍的記載；（見史記太史公自序）當然他是發現了古代輾轉傳抄下來的資料，並不完全可靠，孟子的：「盡信書則不如無書」這句話，對這位要求實證的史學家來說，是有相當的警惕作用的。雖然太史公的史記，大部份是根據舊資料，但多多少少，他自己也作了若干的補充和修正。譬如左傳宣公三年：「昔夏之方有德也，遠方圖物，貢金九牧，鑄鼎象物。……桀有昏德，鼎遷於商……商紂暴虐，鼎遷於周」。太史公可能即據這樣的記載而作他所認為較完整的補充；所以史記封禪書說：「夏德衰，鼎遷於殷；殷德衰，鼎遷於周；周德衰，鼎遷於秦；秦德衰，宋之社亡，鼎乃淪伏而不見」。

二、秦後史籍之不盡可靠

鼎是國之重器，夏鼎遷殷，可能是從「成王既滅商，定鼎於郟鄏」的史實而上推的，並未見諸於史籍。同樣的「周鼎遷秦」，與「宋之社亡」，而使九鼎淪伏，這就是難以令人首肯的三段推理了；我們看東漢懷疑大師（他懷疑，當然就是要求真了！）王充論衡的儒增篇說：「傳言：秦滅周，周之九鼎入於秦。案本事：周赧王之時，秦昭王使將軍摎攻王赧，王赧惶懼奔秦，頓首受罪，……王赧卒，秦王取九鼎寶器矣！若此者，九鼎在秦也！始皇二十八年，北遊至瑯琊，還過彭城，齋戒禱詞，欲出周鼎，使千人沒泗水之中，求弗能得。案時，昭王之後，三世得始皇帝，秦無危亂之禍，鼎宜不亡，亡時殆在周。傳言王赧奔秦，秦取九鼎，或時誤也！傳又言宋太邱社亡，鼎沒水中彭城下，其後二十九年，秦併天下，若此者，鼎未入秦也，其亡從周去矣，未為神也」！如上所舉，史記所據的「傳」言，已經未必可靠，而又把兩種不同的傳言，併為一說，於是便成千古疑案了；同時，王充也不曾深考周之九鼎，究竟何在？因為成王定鼎於郟鄏，地在成周洛邑；而宋太邱社之亡鼎於彭城泗水，乃在東國，所以始皇使千人沒水所求者，恐怕不是周代受殷，殷受夏的九鼎，而是另外的大鼎了！唐立庵的：「西周銅器斷代中的『康宮』問題」一文中，說到古鑛冶事業不發達，原料極是重要，所以王或易（賜）金以鑄鼎彝；臣工俘掠他族銅器以銷燬鑄為自己的器用，那始皇所求，其理由恐怕也就在此了！太史公雖知古書之不可盡信，而訪歷名山大川，帝王賢聖之故居，他雖力求近真，但也難免不失其「真」的！這個三代遷鼎的傳說，便是個好例子！

古籍的記載，與若干事件的組合，是有相當程度的錯誤存在，像殷本紀中的報甲、報乙、報丙的世序問題，直到甲骨被發現後，才真正得到正確答案（參見王國維觀堂集林卜辭中所見先公先王考）。又如楚辭天問裏的「該秉季德」，山海經裏的「王振」，也直到王國維研究甲骨文中的殷代世系，才得到佐證，證明若干古籍裏零星散落地，有不少真正好資料，可供我們重新整理與研究古史，但是他們已相當錯亂了。（當然，如果有一些分毫未經更動，屬於當世人的手筆，我們要研究他們的歷史。這些當然是第一手的資料了）。由於傳抄與誤載，再加上神化與附會，中國的古史典籍中，有甚多的附加成份，使得我們難以找到最正確的答案，如果我們研究商史，除了若干有關商代的歷史書以外，最好的最正確的資料，當然是出土的甲骨，與殷商遺址中的其他遺物；而我們如果要研究周代，除了尚書、史記、左傳、逸周書等典籍外，當然最好的第一手資料，應該是出土的銅銘文。

三、銅器銘文為周史第一等資料

甲骨是近世出土的，它的學術年齡還很輕，只有六、七十年，銅器就不一樣了，根據記載，像周遷商鼎；秦求周鼎；只見於史書的記載，自漢至唐，間或也有出現，但因少見，偶有發現，便尊為天賜祥瑞，或改紀元（像漢武帝），或改地名（唐開元十年，獲鼎，改河中府之縣名寶鼎縣），但是他們都沒有把它當作考古證史的對象；直到北宋，古冢出器日漸增多，才對銅鼎加以注意，開始搜集，著錄發表，不過仍然把它們當作古董玩賞的性質，遠超過學術上的研究；（參阮元商周銅器說下篇）。所以銅器雖然早有發現，但對它的研究，卻萌芽於北宋，而大盛於有清。但較之研究甲骨，銅器銘文的研究，倒是有將近千年的歷史，就是以清代中葉算起，也比甲骨學的壽命長好幾倍！由於它們都是殷周時的古文字，所以早期研究，都停留在文字點畫的推敲上，至於真正作為考古研究，而且直接和中國古史開始結合的，不能不以梁啟超、王國維他們，創開新途。從他們運用甲骨、金文的第一手資料，研究中國古史，至今雖不及百年，但是由於資料的真實性，使得今天的中國考古學與古史學邁進了一大步；甲骨學的時間雖不長，但由於它的發現在銅器之後，早先銅器研究上的種種知識，都提供給甲骨學研究者，若干極有價值的貢獻，所以甲骨學的進步，似乎遠較銅器研究為快速！

銅器的研究，由於早先的學者們的目的在鑑賞，玩古董，所以被那些先入為主的觀念所影響，又加上「崇古」「信古」的虔誠，因而若干純學術性的探討，總是要差得多，不過在民國初年及清代末期，由於新資料的繼續被發現，而且在量與質的方面，遠超過前代，大家耳目一新，信心也大增了，所以一改過去的混亂、籠統與東摭西拾，不求澈底的毛病，開始作有目標有計劃的研究，由疏轉密，使金文、甲骨文的資料，正式負起它們的歷史考古的任務，當然，金甲文的考證，多少是借重了前代的紀錄；但他們價值與歷史的真實性，卻遠超過一切後世傳寫的資料，這一點，是舉世漢學家所公認的，同時也從地下資料，得能證實秦漢以後史書的敘述，是有若干遺漏、錯亂與附會，但也從而證明了那些雖經後人整理、改動的紀錄，其中也有若干資料是符合事實的！

四、研究銘文的目標與若干問題之癥結

到目前為止，這些地下出土的資料，其研究方向，已由考文、認字的零星分析，進而到整體的綜合，考古學家、古史學家已知道銅器銘文的價值，它們是失傳了的中國殷周時期的信史。尤其近年來由於實地的發掘與新資料的增加，使得若干學者，大發雄心，要想藉這一批出土的資料，組合成一個新的「殷周之際，銅器時代的新歷史面貌」。同時由於若干資料，不見於經傳史籍，也就發生了文字上的爭訟與制度上的責難，所以到現在，固然我們已經可以通讀大部份的銅器上的銘文，而無窒礙，但距離正確、令人完全滿意答案，似乎仍有一大段距離。不過近年來的新發掘，記載翔實，圖像銘文並重，比前清時期，輾轉出於古董商人之手的物件，要有價值多了！因此，近來青銅器的研究，也像研究甲骨一樣，有坑位、有斷代、有文體、有花紋、有形製、有書體、有「人」、「事」組合等，大有超軼前代的趨勢！

銅器上的銘文，是研究殷周歷史的最佳史料，一篇毛公鼎，一頁散氏盤，其內容及字數，足以抵得上一篇尚書，至於像小盂鼎那樣大規模的戰爭，曶鼎所表現的社會經濟情況，這些都是史

籍所闕如的！它們的價值是無法衡計的；又如保卣所記明保的史蹟、東國五侯的臣服與叛周，有若干情況，史書的紀錄，似乎不全，不過在新資料不斷增加的今天，在近五十件以上的西周青銅器的銘文中，包括「完全的日期」，（亦即王的在位第幾年、第幾月、月亮盈虛的情形，與鑄器日這天的干支）。所以很多學者都想利用它們推算出西周的長曆，然後根據史實及所記事、時、人物、而將它們分別繫年，構成一組銘文所紀錄而史籍所缺載的西周歷史，這件工作做的人很多；像郭鼎堂的兩周金文辭大系考，可以說是首創體例，他一共分類系屬了西周武王二器、成王二十七器、康王十一器、昭王七器、穆王二十器、恭王十六器、懿王十七器、孝王八器、夷王九器、厲王二十六器、宣王十五器、幽王四器。一共是一百六十二件，所包含的內容非常豐富；他最主要的方法，是以銘文中的相關人物作組合上的推斷。而董彥堂的西周年曆譜，用「月相定點說」，勘定了三十七件；它們分別是武王一、成王一、康王一、昭王一、穆王一、恭王七、懿王二、孝王九、夷王六、厲王四、共和一、宣王一、幽王二。他用四分曆的方法，配合奧泊爾資兒(Oppoltzer)的日蝕週期表來定點，當然他也過份相信曆法，而忘了實際。陳夢家四十四年在考古學報九、十、十一、十二、十三、十四，六期中，發表西周銅器斷代一文，依據郭某的大系，再加入若干新出資料，作適度的調整，計分屬了武王二、成王三十四、成康之際十一、康王十五、昭王五、穆王三、恭王十三、懿孝之際十二，共九十八件；黎東方於民國五十六年，在華岡學報第四期，發表了三十六器的分配與曆譜；它們是康王一、昭王二、穆王一、恭王一、懿王四、孝王二、夷王二、厲王四、共和五、宣王十三、幽王一。綜括來說：各家頗有出入，郭、陳是以人為經，以事為緯，定他們的先後；董、黎則詳列日譜，雖然他們都各有理由，相合的固然有，而相異的更不少！這是個根本問題。因為我們不能把若干銅器的次序排好，就無法肯定銘文中的事件，究竟屬於某王，既然一件銅器又可算是成王的，也可算是康王的，則我們便失去了肯定內含的立足點，當然，也就不知它應補入歷史的那一段了。

五、銅器斷代問題

㈠西周年代起點問題

西周銅器的銘文中，雖有近五十器有完整年、月、及月相與日的干支，可供我們在推算西周年代學上作為第一手根據，但我們討論西周青銅器的斷代時，首先碰到的是西周各王在位的年數，與西周建國克商之年的起點問題。

研究西周年代的近代學者有：一、日人新城新藏著有周初之年代一文。定伐紂年為西元前一〇六六年；二、吳其昌：金文曆朔疏證。推定武王代紂年為西元前一一二二年；三、丁山著有西周年譜，考定代紂在西元前一〇三〇年；四、陳夢家有西周年代考；依高本漢之說，考伐紂之年為西元前一〇二七年；五、董彥堂西周年曆譜：考定武王伐紂為西元前一一一一年；六、黎東方：西周青銅器銘文中之年代學資料一文，考伐紂約年為西元前一一〇二年；這些都比較近代而且富有權威性的，再加上古代皇甫謐的西元前一一一六年；殷曆家的西元前一〇七〇年；姚文田的西元前一〇六七年；今本竹書的西元前一〇五〇年；史記的西元前一〇四七年；大約有九種不同的說法，這樣從西元前一一二二年到西元前一〇二七年，足足相差九十多年，這個差距是很大的，起點不能肯定，後面的年譜自然便排得勉強了。

西周的年代，可以確定的，是從共和元年西元前八四一年起，這一點是大家公認的，所以共和之後的年代是不成問題的，但共和之前的列王年數，則由於代紂之年的不肯定（有以上諸說），以及周公攝政與共和攝政的二十一年懸案，有的算，有的不算（參民國五十一年，大陸第一期考古學報；唐蘭、西周銅器斷代中的「康宮」問題），這種近百年的出入，如此游移不定的年代，那麼即使有銘文的年月干支，也不知道如何來配合了，這是西周年代學上的第一個爭論的問題。

(二)四分月相定點問題

其次當然我們也可找出人物、事件、形製、花紋等相關的，有時間記載的銘文作基點，來上下推衍；但銘文中記時制度的解釋也不一致。我們都知道，由「卜旬」的制度來推測；殷代是以十天為單位，（把一月三分），但周代卻採用初吉、哉生魄、既望、既死霸等的一月四分法；關於月相定點的研究，也是起於王國維觀堂集林的「生霸死霸考」，他推定「初吉」是初一至七八日；「既生霸」是八、九至十四、五日；「既望」是十五、六至二十二、三；「既死霸」是二十三日以後至月末。王氏的定點是相當寬的，所以一般學者都遵從王氏的考定。但董彥堂的周金文中生霸死霸考，卻不滿於王氏的「寬式」，他解釋月相定點，卻從「嚴式」。他定「初吉」為初一，「哉生霸」為初二、三；「望」為十五；「既望」為十六、七、八。同時他也就根據他的嚴式四分月相定點來運用銘文，推算西周年曆譜；當然他的若干推斷會不同於其他學者的；例如郭某把曶鼎列在孝王時期，而董氏則分在恭王元年，前後差了三十幾年！至於師虎毀，則郭、陳、董又都很密合地排在恭王的六年，所以月相定點的寬嚴，也會使得日期有游移的現象而不能確定，這是年代學推定上的第二個問題；不過我個人卻以為月相定點折衷王、董之間，大約是可以行得通的，固不必像董氏那樣的太拘泥；當然，如果太寬，則所得結果，必定有若干相似的答案出現，而致無所適從。

㈢有謚法廟號的諸王器斷代的問題

研究青銅器的斷代，當然先利用銘文的紀時與歷譜的推算密合為最佳，但輔助條件，也可供我們作推定年代的參考；譬如西周制度中的謚法問題，在銘文中提出的王名、宮名，也都可以利用，一般來說：大家都相信郭某的說法，郭某金文叢考一書中，有謚法之起源一篇：否定逸周書謚法解中謂謚法起於周初，為周公旦、太公望所制之說，認為偽託。郭某承襲王國維遹毀跋一文中：「周初諸王，若文、武、成、康、昭、穆，皆號而非謚也」之說，乃更進一步說：「余之所見有進於是者，蓋謚法之興，不僅當在宗周共懿諸王以後，直當在春秋之中葉以後也」所以大家都認為器中如有成王（獻侯鼎）、穆王（遹毀）、邵（昭）王（宗周鐘）、（剌鼎）、龔（共）

王（趙曹鼎之二）、懿王（匡卣）等，都是時王生稱，則此器即可系於該王之時；可是這種情形並不是絕對的。殷周鑄器制度，今不可考，但據銘文所記，器絕不是作於所記之事的剛發生之時，必是在事後；所以若干有結論的事，都會與該事件初發生之時間，不會同時就作器來紀錄，譬如彔伯𢦏卣；先說命他以成周師戍某地，接著又蔑曆（有敘功行賞之意。參中華文史論叢第五輯：蔣大沂保卣銘考釋）、易貝。所以器不是作在受王命出戍之時，而是在若干時日之後論功行賞之時；因此唐蘭在考古學報（民國五十一年），第一期裏的一篇關於「康宮」問題的文章中，雖然沒有討論到西周謚法起於何時，但卻對若干件載有「康某宮」等器的分配問題，提出不同的意見：像令方彝有：「用牲於京宮、乙酉、用牲於康宮」，康宮必是康王之宗廟，則郭某、陳夢家及蔣大沂他們把它列在成王時期的論斷，便被推翻了，同時，若干有「康宮」字樣而定在成、康之時的銅器，都要重新安排，甚至連郭某：「殷周青銅器銘文研究」裏的「令毁、令彝與其他諸器物之綜合研究」一文所組合的成王十九年征楚的（如庚嬴卣）若干相關器銘，而要據唐蘭氏的解釋，列到康王之後或康王末期。唐氏的說法，也不是沒有理由的，因此謚法與宮的名稱，有無配合的必要，這又是定銘文年代的第三個問題。這當然是因為「文獻不足徵」的原故，但唐氏所提出宮名與宗廟制度問題，卻也是我們可以列為銅器斷代上值得討論的問題。

㈣以人為組合為依據，也可能有問題

在銅器裏所表示的西周官制、氏族等問題，也是金文學家尚沒有十分弄清楚的，譬如銘文中

若干官名，並不見於周禮；又如依據干支時日的排比，又往往發生同名或同官的人，顛倒錯亂：有的人要歷經數代，壽高幾百，譬如有㷭（榮）的諸器：周公𣪘定在康王時；康鼎定在懿王（康王玄孫）時；敔𣪘定在夷王時……如此則榮這個人要活一兩百歲。（因為井侯𣪘，陳夢家是把它列在成、康之際，由成康到懿王，大約一百多年。）又如有位白懋父，在小臣謎𣪘他是以殷八師征東夷的主帥；召尊、小臣宅𣪘、御正衛𣪘中的身份，也是主官；諸器都被定在成王時期，（楊樹達：積微居金文說，頁二十六：懋父𣪘跋：以為御正衛𣪘一器，依續古書疑義舉例的：「古書中施受同辭之例」，認為懋父係受王賞御正衛馬的人，故改題該器為「懋父𣪘」。據此則容庚、郭、陳諸家定衛乃懋父之御正之說，要修改了！）又有呂行壺（見兩周金文辭大系考釋）記白懋父北征；看來白懋父是成王時的大將。但在師旅鼎卻記載了師旅的眾僕，不從王征于方，雷使其友人弘去告訴白懋父，白懋父就罰旅得䎽古三百寽。（郭某斷句為：「于方，雷使其友弘」；而唐蘭的「康宮」問題；則斷為于，方雷（氏）使其友弘……並自注：「國語、晉語：青陽，方雷氏之甥也為證，如此，各家之說均成理，則銘文的誦讀，尚多可商討的地方。」那麼白懋父又是成王的大法官司糾察與處罰之責，但他的在世時期，唐蘭在「康宮」問題一文中，也表示了修正意見：他同意白懋父即郭某所考定的康叔封的兒子康伯髦，也就是左傳昭公十二年的王孫牟。同時引世本：「康叔子康伯名髦」：宋衷注：「即王孫牟也，事周康王為大夫」。但他不同意康伯髦的活動是在成王時期，應移到康王後期。如果這樣，那麼郭、陳他們把白懋父的北征、東征，及在炎的事，就要和成王脫離關係，而要改到康王末期。

同時，我們發現郭、陳氏排在懿王時期的免卣中「史懋」及史懋壺的「史懋」，它們的書法都甚相近，同有西周中葉的工整謹嚴，那麼這史懋和白懋父有無關連呢？如果依書體款式定為一人，那麼唐氏的「施受同辭」的說法就不對了，因御正衛毀是作「父戊」的寶障彝；而史懋壺乃是作父丁寶壺。衛是受賞人，容庚、郭某、陳夢家等都沒錯，錯在他們把懋父的時間定得太前及太後；並且康王時，周公毀是井侯受命，而免卣裏竟也有井叔右免；史懋錫免的相關人名，因此以人名為組合的依據，在銅器斷代上也會發生前後矛盾及混淆。

我們研究甲骨卜辭裏的貞人（卜問的官），也發生類似懋的問題：像一個名叫㱿（也有寫毃的）的貞人，早在武丁的初期，晚到帝乙帝辛時期都有他的名字出現（依據董彥堂氏甲骨文斷代研究例：武丁第一期多大字，像殷契粹編第一四九八片；第三五期多是小字，像粹編的第一三三三片。）此人不可能活到兩百多歲，因此我們從古代世官制度的傳說論證，只好解釋為㱿家世襲王室史官（或貞人），而且此㱿字可能是族號，正如周公旦、周公黑肩一樣，不知此說是否能成立？總之，以人的名字來作分期，可能我們也該注意周代的世官制度的施行情形，雖然爵位是公名，祖孫可以沿用，但周代的族名是否也可代替私名如：「孟孫氏，叔孫氏」，的例子？（當然這是我的妄測！）所以這些官名、諡號及人名，由於銘文中並未顯示一個完整的周代名稱使用制度，所以世官、世族、及諡號的使用，還是值得研討的！

㈤書體、花紋；形製亦是分期斷代的佐證

也像我們今天的趕時髦，穿迷你裝或熱褲一樣，西周銅器的形製和花紋，也會有時期性的、地域性的不同，同時字體書法，也有早期、中期、末期的差異；有一部份西周銅器，它的銘文書體，和在安陽殷虛發掘到的殷代末期的「刀筆」字體，頗為近似。羅振玉殷文存序中說：「若夫彝器，則出土之地，往往無考，昔人著錄號為商器者，亦非盡有根據，惟商人以日為名，通乎上下，此篇集錄，即以是為準的……」。依羅氏的判斷，殷文存所錄諸器銘文，即使不一定全部是殷代的，但它們作器多半以日為名，正如羅氏序文又說：「雖象形之字，或上及夏氏；日名之制，亦下施於周初，要之不離殷器者近是」。我們相信羅氏所言，有相當可靠性，因此檢視殷文存卷上頁八B：「丁卯作父乙鼎」；頁十A；「亞㠱其乍父己甗」；頁二六B：「丁巳尊」；其文辭內容，當屬商代，而其書體，亦與商承祚所編殷契佚存第四二六、四二七、五一八片；等骨栖刻辭（帝辛時物。）相同，自是殷商遺物無疑；但我們看天亡毁、小臣單觶，以及令毁、禽毁、康侯毁、保卣、明公毁、井侯毁、太保毁等，也都是帶有西周早期、殷商末期的尖肥的刀筆書體；不過周器銘文排列較商器更為整齊。所以像這類書體的銅器，應在周代成康的初期是無疑的！但是我們也不能絕對肯定成康而後，便不會再有這樣的書體出現！正如銘末的「簽名式」，在商器自是通行，但在周器也還有若干是如此的；像士上盉、令彝、康侯毁、旅鼎、乍冊奚卣、獻侯鼎、士卿尊、嗣鼎等固然可以歸到成康的西周初期。不過，像共王時的格白毁；懿王時的康鼎；孝王

時的效父𣪘；厲王時的鬲从盨；宣王時的師訇𣪘；（根據兩周金文辭大系所列）都在末了有圖騰、族徽式的簽名。那麼殷代的此種圖騰、族徽制度，究竟在西周保留到了多久？習慣可以保留，字體又何嘗不可繼續呢？我們從宗婦鼎（見三代四、4B2）、克鼎二、（見三代四、28、2）、師趛鼎二1（見三代四、11、1）等，可以看出周代鑄鼎，其銘文不是每一器都是重新刻的，若干字幾乎相同，可能有字模之類東西，可以使用若干次。同時，固然東西要時時創新，說不定碰到一位好「仿古」的，發一發思「古」之幽情，便會使我們「古」「今」莫辨了！

㈥習慣用語亦具有時代性

除了書體、花紋等可供斷代參考外，像語句構造的詞例，也可供我們參考，大致上周初不但沿襲殷商用日名的習慣，連紀時的方法也襲用殷代的，殷人習慣先干支，末署月份，如殷契粹編第一三七片：「甲戌卜，𡈼貞，王賓夕福，亡囚。在六月」；如果紀年的話，那麼年再繫於月後：如殷虛書契前編：三、二七、七：「癸未、王卜，貞，彡日自上甲至於多后衣，無巷，自畎。在四月，隹王二祀」。在西周銘文裏，月份移在干支前面是通例，而年份則多半移在月份前面，但也有像殷代紀年一樣，把年份紀在末了，像康王時的大盂鼎、小盂鼎、共王時的乍冊吳方彝、孝王時的趩觶、大師虘𣪘等，都是把年份寫在銘文的最後。所以標準周代銘文的紀時法，應該是「隹王某年、某月、初吉（或生死霸，望等月相）、干支」。比如：我們看到康王時期的庚嬴鼎：「隹廿又二年，四月既望、己酉」；昭王時期的段𣪘：「唯王十又四祀、十又一月丁卯」；

共王時的走𣪘：「隹王十又二年、三月既望庚寅」。這可算是西周銘文記時的標準式，但像前舉類似殷人紀時的銅器，根據衍變的原則，它們應該是周初的製作，才合道理。可是據郭某的排定，卻延到共王、孝王時期，所以這個詞例斷代的標準，也不是百分之百的對了，我們讀天亡𣪘的首記干支，而不紀年、月；保卣的首記干支，末標月份及月相，這種紀法，多多少少讓我們感覺到它們受殷代甲骨刻辭的詞例影響甚大，而大、小盂鼎、乍冊吳方彝、大師虘𣪘等，當然不必援此例而提前排到成王時期，可能作器人的好古癖，故意把年份搬到最後以示古體，也說不定。

㈦年曆譜的問題

以上是就銅器銘文用以斷代的種種憑藉問題，提出一些個人心得與觀點不同所發生的一些疑問，正如郭某在兩周金文辭大系考釋的初序裏說：「夫彝銘之可貴，在足以徵史；苟時代不明，國別不明，雖有，亦無可徵」！這是研究銘文最重要的課題，銘文不能確定它們的年代，那它們就無法補進歷史，就成為一堆漫無頭緒的「史料」而已！因此，當王國維先生開始利用金文資料來考證古史，在他只是開拓了金文「點」的研究，到郭某的兩周金文辭大系考釋，便開始了線與面的拓展，一百六十二器的西周年代線索，再加上一百六十三件的列國器的面的開拓，使銘文研究進入整體化！郭氏而下，各家討論銅器，多以他的「大系」為中心，如陳夢家的「西周銅器斷代」，也是根據郭某所訂的西周年代各王之間的「線」，又加上晚近出土的新資料，來利用「類比」方法，使有關銅器加以組合，而來補充郭某的線，使其擴展成較具規模的「面」。但是他們的工作，雖有很好的績效，但也發生了不少的漏洞；難怪像楊樹達、唐蘭、董彥堂諸家，要引經據典地予以「修訂」了！無疑地，銅器斷代的主要資料，是一部份有完整年月日干支記載的銘文，而要使這些有完整日期的銘文，在各王名下安頓妥貼，除了在後世文籍中找出適當佐證以外，最主要還是要編列出一個較完整的西周曆譜，能把它們在可以解釋的理由下，安排進去，才能使這支西周銘文所構成的年代線，有堅強的可靠性，才好藉此定線去發展成面；可惜陳、郭他們雖然說得很肯定，但是他們並沒有把那些已經分在各王名下的諸器，根據所推算的年譜，把它們和銘文上的日子，嚴格地結合起來，使我們能堅持相信他的斷代是確切不移的！由於年代長，有日期的器，甚少有明確的段落線可供參考，雖然六十干支的進位法較十進位要來得嚴格些，但在長時間中，它們仍有週期性的相同日期出現。譬如像陳文第十六器「召尊」，有月日干支，有在炎師的地方，有賜物的主人白懋父，陳文定在成王時，我們查董彥堂西周年曆譜，成王八年西元前一〇九〇年九月甲申朔（董譜此年是閏三月，九月是董的八月，根據郭某殷周青銅器銘文研究卷一、頁五四：「周初沿用殷習，於年終置閏，稱十三月，如趞尊、南宮鼎即其證。今採郭說、銘文中有十三月的例子，可能西周初期仍在年終置閏。」）十一日甲午，此器可容。但唐蘭認為：成康之際，刑措四十年，乃開國盛世，成王承武王、周公之後的太平，既然「刑措」，當然也就不會動兵了：所以直到康王末期，分田、分器、分奴僕等到無可分時，才又對東夷、南夷、荊楚用兵；史載「昭王南征不歸」是事實，所以令方彝在庠，在炎自這一組乃是昭王南征時器（見唐蘭：「康宮」問題一文）。我們再翻檢董譜，昭王十八年（西元前一〇二四年）九有辛卯朔，甲午是初四，也能容得；又如御正衛毁的五月初吉甲申，依據陳說，在董譜的成王十四年（西前一〇八四年）五月辛巳朔，甲申正好是初四；但同時檢查昭王十五年（西元前一〇二七年）五月庚辰朔，甲申為初五，也可以排得上，這樣唐說也不是毫無道理，所以銘文斷代，是西周年代學上，一大癥結，能利用它們解開西周曆法、曆譜、紀時制的結，那麼一定可以從各組相關銘文所顯示的資料上，很正確地補充西周史籍的缺漏，更正史籍的誤謬！

（八）斷代諸說商討舉例：

前輩們所作的工作，不是白費的，不管是年代學上的問題，或銘文斷代的問題，他們往往為了圓滿自己的主張，儘量找有利的條件去說，可是相伴而生副作用，也許他們忽略了，所以我才提出一些疑問。也許這是多餘的，但我覺得推斷一些古代記載的時間正確與否，思考愈細密愈好！儘管在斷代研究上，還遺留著不少的問題，有待求證與解決，譬如說：陳夢家的「西周銅器斷代」的推斷如果是對的，那麼他所考定的九十八件銅器（因有相同條件而組合的不算在內）中，屬於成王及成康之際的有四十五件，幾乎占了一半；換句話說，銘文的研究，幾全集中到成王的一個人身上去了！他只作人的組合，不大注意書體風格的變化，像御正衛毁的字體，一看就知當在成康之後，字畫圓融，行款疏朗，決不類周初作品，與禽毁字體迥然不類（三代吉金文存卷六、四九—五〇）。我想，這是他的疏忽！但如果我們相信唐蘭的修正說法，那麼銅器幾乎都要集中到康王以後去，像乍冊令方彝裏有「康宮」、班段裏有「邵（昭）考」，都不應該排在成王時期了，可是像令方彝的書體，又加上末了有「雋冊」的簽名式，又當是以西周初期為是；又如衛挺生的穆天子傳今考中以為金文中葊京，是穆王既遷都成周東都後，對西都宗周的新名稱，（也有人說。葊京即成周洛陽，因洛郊有邙山，葊邙音同，見黃公緒周秦金石文選注。）像遹段中有葊京」，郭、陳等都把它列在穆王時期，而靜段、靜卣、小臣靜彝，都有葊京，而且大系都列在穆王時期。似乎衛氏的說法，也很有道理，可是陳、郭定在成王時的士上盉有：「出館葊京年」；康王時麥尊有：「王格葊京彭祀；則諸在穆王之前提到「葊京」的銅器，都要移到昭王以後才行，但士上盉的文字書法，極似殷周之際的刀筆筆鋒，同時銘末有「臣辰冊皃」的簽名，而臣辰的簽名，也見於殷代銘文中：如貞松集古遺文卷八、十八頁有：「臣辰皃父乙爵」；貞松補遺上七頁：「父乙臣辰皃鼎」；又三十三頁有：「小臣皃辰父辛尊」。似「乎臣辰皃」在殷代為「小臣」，而到周初作了「作冊」也不一定，究竟是世官，由殷入周呢？抑是祖孫同用一族徽，不敢斷定，但士上盉總不應晚於成康之後，所以我覺得若干祇有日名、簽名、圖騰的殷周之際的銘文，也有得注意的，這些簽名、圖騰，也許亦可提供斷代的佐證。不管斷代問題現今還未作最後定論，但這些出土的銅器銘文，是研究西周歷史的第一手原始資料，總是不會錯的！因此我們暫撇開斷代與年代的問題不談，單從若干銘文的內上，亦可探知殷周文化的關係與西周社會、經濟、政治等問題。而這些情況，亦即為古史籍所失載的！

六、銘文所表現的殷周之際的歷史文化價值

周代的文化，無疑地受商代的影響是很大的，就以銅器的製作來說，商代的銅器的製作，雖然沒有記載留下來，但從若干殷商器的銘文來看，可知製器不定是王室！（也許因為書序有：「武王封諸侯，班宗彝，作分器」；因此大家以為器出王朝。）實則王；公、卿、士，都可製器，這一點我們從各器銘文所記的製作人的身份，即可知道。古代銅、金不易獲得，分器或賜器，自是重賞，可是我們看西周銘文如：䨺鼎：「䨺俘貝，䨺用作𡨦公寶隮鼎」；員卣：「員孚金，用作旅彝」。齊侯敦：「陳侯午以群諸侯獻金，乍皇妣孝太妃祭器鎛錞」；又有像疐鼎「俘戈」；呂行壺（二五）：「俘貝」；過伯𣪘（五四）：「孚金」；師𣪘（一四五）：「俘吉金」等，而用以作器。可知作器是不限王室；我們不知王賜的「器」，是不是像後代皇帝賜給大臣東西一樣，要如何的供著，永遠保存：（也說不定所分乃是俘來，臣工獻的，或使用原器，或可以銷燬再鑄為新器，不得而知）當然像禽𣪘是「王錫金百寽，禽用乍寶彝」，一定是用王賜金來作此𣪘；但鼂𣪘：「公易宗彝一肆，易鼎二、易貝五朋」為了對揚公休，乍辛公𣪘，在措辭上似乎因恩賞作器為銘記。由此我們或可如唐蘭「康宮問題」一文中所說，周康王以後所以有戰爭，一則因為四夷叛變，再則基於分土、賜器的短缺，所以他們要孚貝，孚戈，孚金，而供鑄新器。贈人以器，貴在器之難得，當然可以燬人之器，鑄為己器，譬如左傳成公二年：「齊侯賂晉以地，而先以紀

甗」，此甗固是重器，晉人得之，當銷了再鑄；正如左傳襄公十二年：「魯取鄆鐘以為公盤」。這是很好的例子。誰能得金，誰即可以鑄器。當然這個鑄器的人，必是士、夫、公、尹之類的有司；在周朝鑄器的有王、公、尹、乍冊、小臣、以及若干武士等，當然在殷代的銅器，當然也是同樣的由王、公、有司等人所鑄，絕不會祇限於王室，我們從殷文存所錄諸器的若干簽名式上，可以覺察到，周代先人（如文王）既是商臣，又位居王侯，可以作器，也是理所當然的：郭某兩周金文辭大系卅一頁獻侯鼎考釋裏說：「天黿二字原作[illegible]，器銘多見，舊釋為子孫，余謂當是天黿，即軒轅也。周語下：『我姬姓，出自天黿』，猶言出自黃帝」。郭某的說法，很有道理，因為天字在東漢說文解字裏讀：「天，顯也」，「顯」，「軒」聲近，甚是合理。天黿乃周氏族徽，那殷文存裏有天黿簽名式的銅器，大約有二十個左右，其中紀日有父乙、父丁、父戊、父庚、父辛、及父癸諸名，依郭某之說，當是周族之器，雖不一定出於一人，定是一家！同時我們發現天黿二字也有作人名的（可能是族名）：如殷文存上六頁一：「天黿乍父戊彝」；下二十三頁三：「甲寅，子易天黿貝，用作父癸障彝」，這些器如是作於商代，那麼也足可證明周人在商代已有自鑄之器了！又如殷存上四十一、二：「宜生商盟，用乍父辛障彝，天黿」。在卷上三十一、二又有：「父辛黿」。如果「宜生」即是見於書經君奭及孟子盡心篇的「散宜生」的話，那麼散宜生是文王四友之一，則此器必作在殷周之際，凡此足可證明周人與殷王室之關係！

七、周仍沿用殷代制、地名、人物

很明顯的，周代承襲了不少商代的文化，不但從器製、花紋、書法等可以看出，即使政治、信仰，亦受影響，商代有小臣：有殷契粹編一二七五有：「叀小臣妥執，不化自魚……」。周初乃有小臣宅、小臣靜、小臣謎等；在曆法上的干支紀日，殷周完全一樣，同時若干地名、人名、見於周器亦見於甲骨，例如：地名：「鄭」：（殷虛書契前編4 36 3粹三〇五）；鄭：（殷虛書契續編3 28. 6）；鄭：（菁華・9 10.）；鄭（殷契佚存九九五）；在齊：（前編2 15. 3）；在淮次：（南明八〇六）；人名：[illegible]白：（甲骨文錄七一三）；[illegible]：（後編下20. 11.）；杞侯：（後下37. 5.）；同時在前編2. 8. 7.有：「杞貞」！可見周代的公侯不在封國而在王室輔政任職的制度，在殷已然。外編八三有「[illegible]侯」，而士卿尊的簽名式有「子[illegible]」；乙編四二三：「庚子卜，王令[illegible]田」；此人名字與士上盉的小臣「辰」的簽名皃一樣，不是一人即是一族，又如商代的禦祭，在周代的銘文亦有發見，殷代的禦祭，在[illegible]方鼎中有：「公歸禦於周廟」！總之殷周在文化上的關係也是非常密切！

主要參考書目：

1.陳夢家：西周銅器斷代、殷虛卜辭綜述。
2.郭沫若：西周金文辭大系考釋、金文叢考、殷周青銅器銘文研究、殷契粹編。

3.董作賓：西周年曆譜、甲骨研究斷代例。
4.王國維：觀堂集林。
5.唐蘭：西周銅器斷代中的康宮問題。
6.黎東方：西周青銅器銘文中之年代學資料。
7.殷文存。
8.三代吉金文存。
9.貞松堂集古遺文。
10.金石學。
11.中國考古學史。
12.考古學報：文物參考資料。
13.楊樹達：積微居金甲文說、積微居小學金石論叢。
14.容庚：金文編。
15.孫海波：甲骨文編。
16.殷墟書契前編、後編。
17.殷契佚存。

（原載於　華學月刊第10期，1972.10，頁8-18）

春秋會盟的眞象

——「侯馬盟書」概說

記得在十幾年前，那時因為喜歡甲骨文，不僅天天面對一片片黑膏藥，也研讀了不少甲骨學的論著；其中最常讀的一部，便是董彥堂先生的「平廬文存」。這本書有若干文章等於是彥老殷曆譜的「外篇」，但也有一些兩周時期的考古資料，其中有一篇「沁陽玉簡」，記錄的是民國三十一年在河南沁陽發現了一些玉片，共有十一件，有玉有石，玉色作青灰，石作墨色，其中第八片完整的作圭形，字跡不見，董先生以火酒潤之，在日光下約略可辨識之字有：「自今以往」和「丕顯晉公」及「韓介」等，乃定為春秋時代物，疑為「封禪」和「禳祛疾病」的東西；因為在殷虛也曾出土玉魚一，上有硃書「大示芑」三字，以此類推，可能有「剛卯」的作用。當時我（董氏）也以為是封禪之類用的玉牒，還到處訪求唐明皇的「封禪玉牒」照片。

但到了五十四年，在山西省澮河北岸台地上，發現了一片埋有類似「沁陽玉簡」的遺址，面積廣達三千八百平方米，前後經多次調查、發掘、整理；到了六十二年為止，一共發現了四百多個長方坑。在三百二十六個坑中，分別埋有一百七十七頭羊，六十三頭牛、十九匹馬。大坑埋牲，小坑埋著有字的玉片，及玉幣、上筮玉片、環、璧、瑗、玦、璜、瓏、圭、璋等軟玉、青玉、白玉器物，有的其薄如紙。

遺址中，共發現五千多件玉片，其中有六百五十六件可以認得出字來，有部份是墨書，大部份是硃書。根據專家考定，這一批玉片是春秋中晚期晉國盟誓的「盟書」，因此就將這一批玉簡定名為「侯馬盟書」。「侯馬」是晉景公在十八年（西元前五八二）遷都於新田（絳）附近的汾澮二河之交會處，正是晉室晚期的政治中心。

由於盟辭中發見了「趙孟」，又名「嘉」；及模糊片上發現了「中行寅」，乃斷定這批盟書，當是晉頃公（西元前五二六—五一二）及晉定公十六年（西元前四九五）前後伐范、中行的趙鞅——趙襄子，也即是因趙午於晉陽的「趙孟」；中行寅即是趙午的舅氏荀寅；定公十三年十一月丁未荀寅奔朝歌，十二月辛未入於絳，盟於公宮的趙鞅。

而且由第十六坑出土的十六：三號盟書載：「十又一月甲寅朏，乙丑敢用一元□告于丕顯晉公」的辭句，根據朱文鑫氏春秋日食表，以西法的科學推算：「春秋日食三十六事，合者十六事中」恰有「春秋魯定公十五年八月庚辰朔，日有食之」的史實記載，這是完全合於科學推算的一次，故肯定此盟誓時間，當是定公十六年（西元前四九五）十一月十三日。而其時正是趙鞅得知陳、韓不信、魏曼多之助，敗荀寅、士吉射，而盟於絳之晉公宮。

我們根據左傳、史記的記載：西元前五〇〇年，趙鞅帥師團衛。四九七年，趙鞅索衛貢五百家於邯鄲趙午，殺趙午於晉陽。四九六年，趙鞅因荀寅奔朝歌，乃圍朝歌；魯公、齊侯、衛侯謀救范、中行氏，不克。四九三年夏四月、齊侯、衛侯救邯鄲；冬十一月趙鞅伐朝歌。四九三年齊人輸范氏粟，鄭子姚、子般送之，趙鞅禦之，誓師伐鄭於鐵，鄭師大敗，獲齊粟千軍。四九二年冬十月趙鞅圍朝歌，荀寅奔邯鄲。四九一年九月趙鞅圍邯鄲；冬十一月，邯鄲降，荀寅奔鮮虞，趙稷奔臨；國夏納荀寅於栢人。四九〇年春趙鞅圍栢人，荀寅奔齊；夏，趙鞅伐衛，為范氏故，圍中牟。四八九年春，晉伐鮮虞，治范氏之亂也。趙鞅乃合知氏滅范氏、中行氏；晉由六卿專政，而為四卿……。

晉出公怒知伯與趙、韓；魏分范中行故地，告齊、魯欲伐四卿，四卿恐，共攻出公，公奔齊，道死。知伯立昭公曾孫驕，是為晉懿公；知伯益驕，請地韓、魏，韓、魏與之；請地趙，趙不與；知伯率韓、魏攻趙；韓；魏反於外，趙氏應於內，智氏遂亡。乃成三家分晉的情勢了。

從史實看來，自晉昭公卒，頃公即位（西元前五二六）起，趙鞅伐范、中行，晉國六卿中，以趙為最活躍；此批盟辭，以有科學證明的年月及「中行寅」，歸之於趙孟、趙簡子鞅，並無不妥，而若干學者以為趙嘉為趙桓子，其對象為趙獻侯浣，而將時間移到西元前四二四年；當時也是一場劇烈的政治風暴，但是已到了三家分晉之後，此說目前尚難論斷。

由於這批盟誓文物的出土，讓我們對春秋、左傳從隱公元（西元前七二二—四六八）到哀公二十七年的二百五十四年中，二百多次的盟誓（其中與晉國有關的五十次）實況，有明白的瞭解。記得我們在中學讀歷史時，就常聽老師敘說春秋的「會盟」，和那「鐵券丹書」，總以為賭咒怕賴帳，還用「鐵」打成「板」再寫上「硃」字，真是神呢！而今天知道鐵券之「鐵」，猶之乎漆書之「漆」，乃都是面如鍋鐵的「黑」，及漆黑的「黑」！並非「鐵」與「漆」也。記得從前講校勘學的人，總是對先秦漆書之漆，看作是容易剝落的油漆，等到大批簡牘出土，武威儀禮簡的發現，才知道墨書即是漆書；而大批侯馬盟書之發現，多半是灰黑、墨綠的深色玉石片，那「鐵」券之意便也就瞭然了！

但為何要盟誓呢？左傳哀公十二年，子貢對曰：「盟，所以周信也，故心以制之，玉帛以奉之，言以結之，明神以要之，寡君以為，苟有盟焉，弗可改也已。……」禮記曲禮下：「約信曰誓，涖牲曰盟」。尚書呂刑：「罔中于信，以覆詛盟。」詩小雅何人斯注：「民不相信，則盟詛之。」周詛祝注：「大事曰盟，小事曰詛。」疏：「盟者盟將來，春秋諸侯會，有盟無詛」，由以上經書之記載，可知盟誓之意義。

在古書裏也記載了舉行盟誓的程序，禮記曲禮疏：「盟之為法，先鑿地為方坎，殺牲於坎上，割牲左耳盛以珠盤；又取血盛以玉敦，用血為盟，書成乃歃血而讀書。……」左傳昭公六年：「乃坎用牲埋書。」在左傳中又有一段記載，描敘得更是傳神，而「執牛耳」之意，也就十分明白了！左傳定公八年：「晉師將盟衛侯于鄟澤。趙簡子曰：『群臣誰敢盟衛君者？』涉佗、成何曰：『我能盟之。』衛人請執牛耳。成何曰：『衛，吾溫原也，焉得視諸侯？』將歃，涉佗捘衛侯之手及捥。衛侯怒。王孫賈趨進曰：『盟以信，禮也。有如衛君，其敢不唯禮是事，而受此盟也』？……」其中執牛耳，歃血，今從侯馬遺址中的實物，知古書所載之不我誣！

本來會盟之事，天子諸侯用牲以牛豕；大夫以犬，庶民以雞；而坑中牲為牛、羊、馬，大致也證明古書之不誤，不過春秋中期以後，「禮崩樂壞，政在家門」，卿士大夫專權，那麼涉佗之「捘衛侯手及捥」，不許他執牛耳之真象也就可明白了！而且由侯馬盟書數量之多，更可證明：「世道交喪，盟詛滋彰」的春秋時代的真象。

這批盟書，可以說是目前所見用毛筆書寫最早的官文書！根據其內容，可分為四類八種：

一、宗盟類：出於三十四個坎中，共有五百十四篇，第一為序篇，有干支紀日，為考定時代的重要文件；五百多篇盟誓內容，由同姓同宗的一氏一家，對付政敵趙尼之外；擴大到四氏五家，政敵也擴充到先魔、史醜……五氏七家，牽涉到司寇，直到十四家，而人名總共逾百，真是前所未見。不但時有新加入的，更有尋盟的記載。

二、委質類：分別在十八個坎中，出土了七十五篇，參盟的人，都質於君所，發誓不敢出入於趙尼之所；永不盟於邯鄲之趙。而被詛咒的對象多達九氏二十一家。

三、內室類：同出於一坎，一共有五十八篇，所謂「內」即「納」，亦如左傳所載：崔抒殺高厚，兼其室；子產殺子孔，分其室；楚公子圍敖殺蔿掩而取其室。晉語：「納其室以分婦人。」的「兼室」、「分室」、「取室」、「納室」，蓋即併吞其所屬，而擴張私門之勢力之意。

四、卜筮類：是紀錄卜筮的內容，不是朱書而是墨書。其中有「卜牲」的記載，很像殷墟卜辭裏的卜用牲。

五、其他：除了上述四種以外，還發現少數殘片，內容特殊，但因過份破碎，只有：「永不明於邯鄲。」一詞可讀。

這批盟書的各類辭句，都具有固定的體例格式，每類中除參盟的人名不同之外，其餘均雷同；只是往往有脫字和衍字的情形，如「而」、「者」、「之」、「及」等虛字；有時故意把被盟詛人名次顛倒；或漏去重要單字使文義相反；盟辭中有不少標點符號，在「子孫」、「邯鄲」、「之所」等合文後面，標有合文符號，在「君所」二字之後標有重文符號。有不少盟辭中發現有句標，在六百多篇盟辭中，有句標者有四十七例，在篇末結尾用標點者，有二十九例。這對古代文辭書寫的習慣與古書的解讀，又多了不少佐證。

尤其是當秦始皇統一六國，實行「書同文」之後，關於當時所謂「六國文字」的書寫真象，始終給古文字學者們有很多困擾，若干「文字異形」的形象，可從此一資料中找到很多答案；這是一批文辭簡潔、書法熟練的盟誓辭文，當是出諸祝、史之類的官吏之手，非一些使用器物上工匠製作者之簽名或記號之可比！在數以千計的文字中，許多字各具風格，表現了當時活用文字之：「一字多形，形態多變」的書寫情況，而異體字的形成，主要是由於增減筆畫或偏旁而造成，沒有一定的書寫規範，如一個「嘉」字，竟有百多種寫法，「敢」字有九十多種寫法；又如「從」字，有加「彳」也有不加，而「辵」「從」並用；也有像殷商甲骨文字一樣，偏旁變位；同時音近通假的用法也不少，如腹、復通用。

從銅器、陶器、貨幣、璽印以及簡牘、帛書等，都可見到春秋戰國文字，而如此集中且大批出土於一處的文書資料，尚屬僅見，盟書的編者，為便於研究人員的使用，從六百五十六件盟書中，整理出本體字三百八十一字，異體字一千二百七十四字，分單字、合文、存疑字、殘字四部分，製成字表，字下繫以盟辭編號，以便檢索全辭來作深入研究。因此這一份資料，對於歷史學家、文字學家、民俗學家、政治學家……都可算是一本極具直接而又具體的春秋史料。

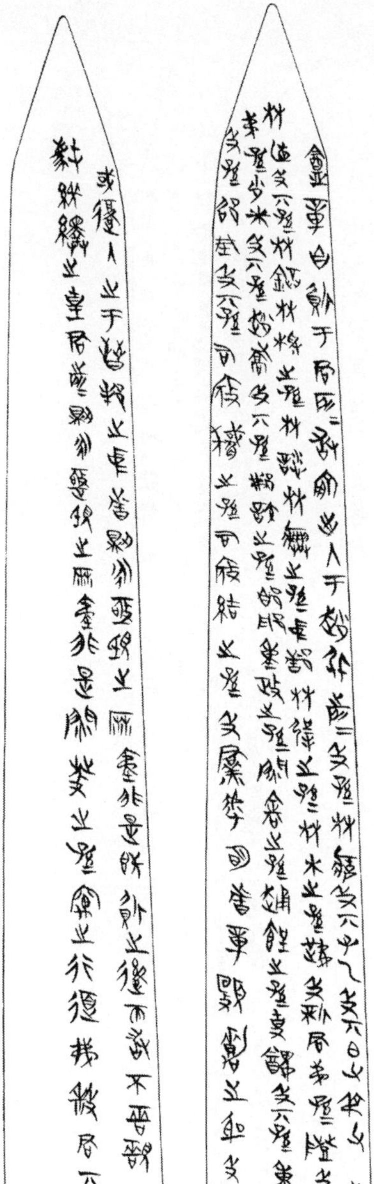

盦章自質于君所＝敢俞出入于趙尼之所＝及孫＝兟痝及其子乙及其白父叔父弟孫＝
兟直及其孫＝兟鑿兟寽之孫＝兟訾兟𤺄之孫＝中都兟𢏳之孫＝兟木之孫＝𨀁及新君弟孫＝隥及新君
弟孫＝趙朱及其孫＝趙喬及其孫＝𨛜詨之孫＝邯鄲郵政之孫＝閱舍之孫＝趯飵之孫＝史醜及其孫＝郵癰
及孫＝邵城及其孫＝司寇𩰫之孫＝司寇結之孫＝及群虖明者章頸嘉之身及孫＝

或復入之于晉邦之中者則永亟視之麻夷非是既質之後而敢不巫覡史
歔綐繹之皇君之所＝則永亟覘之麻夷非是閱癸之孫＝寓之行道弗殺君其視之

甲骨學的解謎者

——談董彥堂所建立的甲骨學成就

‧中國新發現之學問

民國十四年，王國維先生在《學衡》第四十五期上，發表了：「最近二、三十年中，中國新發現之學問」一文中說：

古來新學問起，大都由於新發現：有孔子壁中書出，而後有漢以來古文家之學；有趙宋古器出，而後有宋以來古器物、古文字之學。惟晉時汲冢竹簡出土後，即繼以永嘉之亂，故其結果不甚著，然同時杜元凱注左傳，稍後郭璞注山海經，已用其說。

而王國維所謂新發現之學問，即㈠殷虛甲骨文字㈡敦煌塞上及西域各地之簡牘。㈢敦煌千佛洞之六朝唐人所書卷軸。㈣內閣大庫之書籍檔案。㈤中國境內之古外族遺文。這些發現，已經形成了近世幾種舉世矚目的新學問，如甲骨學、簡牘學、敦煌學、大庫檔案學、四裔碑銘學。它們不僅是近世中國的新學問，也是世界性的新學問。後來大史學家陳寅恪先生在陳垣〈敦煌劫錄序〉

中也說：

一時代之學術，也有其新材料與新問題，取用此材料，以研求問題，則為此時代學術之新潮流。治學之士，得預於此潮流者，謂之預流（借用佛教初果之名）。其未得預者，謂之未入流。此古今學術史之通義，非彼閉門造車之徒，所能同喻者也。……——《金明館叢稿》二編，頁二三六。

其餘諸項不談，僅就「甲骨」文字的發現，略作綴述：九十餘年，「甲骨學」已成為語言文字學、歷史學、考古學、古代科技、天文曆法……等學科領域中的重要課題。而其本身所顯示的商代文化，諸如：農業已有黍、麥、稻、粟；畜牧中不僅已有六畜，更有執駒、攻特、相馬等優生繁殖知識；醫術方面，不僅有內科、外科之分，更有耳、鼻、喉、牙、婦產、小兒、傳染、針灸……等，比印度早約千年，至於天文、曆法方面，更為進步，不僅有完整紀年、紀日、紀時的嚴密制度，武丁年終置閏、祖甲年中置閏，足證其曆法的進步；更有氣象、日蝕、月食、星象等記載，處處表現出殷商時期的高度文化水準，而甲骨學也成為世界性的顯學。

民國六年，王國維先生於卜辭中發現王亥之名，又於《山海經》、《竹書紀年》中得知王亥為殷之先公，並與《世本・作篇》之胲、〈帝繫篇〉之核、《楚辭・天問》之該、《呂氏春秋》之王冰、《史記・殷本紀》及《三代世表》之振、《漢書》古今人表之垓，實係一人；又根據《後上》八、一四及戩一、一〇之綴合，證之上甲以後諸先公之次，當為報乙、報丙、報丁、主壬、主癸，指出《史記》以報丁、報乙、報丙為次，乃違事實；又據《後上》五、一考證出祖乙當為中宗字等，乃作〈殷卜辭中所見先公先王考〉、〈續考〉，肯定了甲骨文的價值，也開創了甲骨學研究的大道。

有人把「甲骨文字」和「甲骨學」混為一談，實際上兩者是有區別的：把占卜的文字或其他記事文字，用契刻或書寫於龜甲、獸骨之上，叫做「甲骨文」，是甲骨學研究課題之一；「甲骨學」則是以甲骨資料為研究對象，與金石學、銘刻學、考古學、歷史學、文字學，歷史地理學、天文曆數學，甚至科技、農業等科結合，研究殷商歷史、文化，使零散雜亂的甲骨文字資料學術化、系統化，化腐朽為神奇。所以甲骨文的價值，要隨著甲骨學的研究發展，才能提升。

•甲骨四堂

清光緒二十五年（一八九九），王懿榮從藥材中發現有字敗龜版（雖有異說，但學界仍以此說為可信），乃開始蒐購；到光緒二十九年（一九〇三）劉鶚發表《鐵雲藏龜》；光緒三十三年（一九〇七）羅振玉開始收藏甲骨，並打探甲骨真實的出土地點；宣統三年（一九一一）發表「洹洛訪古記」，確定甲骨出於河南安陽小屯村。羅氏先後刊印了《殷虛書契前編》（一九一三）、《殷虛書契菁華》、《鐵雲藏龜之餘》、《殷虛書契後編》、《殷虛貞卜文字考》、《殷虛書契考釋》，尤其《考釋》一書，開甲骨文識字之始，通讀了一千三百多條，於刻辭中得殷帝王名謚十餘，乃恍然悟此卜辭，實為殷室王朝之遺物，為前述王氏先公先王考等文，立下基礎。

王國維於宣統三年（一九一一）隨羅振玉東渡日本，專攻經學、小學、歷史，並協助羅氏整理、編輯、考訂所藏大批甲骨、金石等文物，利用出土資料及書面資料——所謂雙重證據法，來考訂古史；綴合殘片，使能通讀全辭，提升了只是辨詞認字的甲骨文，而為與古史、古文化結合的甲骨學，乃羅、王二氏奠其基；學者稱之為「羅王之學」。

另一甲骨學者郭沫若，民國十六年避禍日本千葉縣市川市，十七年八月，他開始研究古史，在東京上野圖書館查閱羅振玉《殷虛書契》一書，面對一片片「黑膏藥」，雖然不知所云，但更迫切地想了解它們，於是去文求堂訪求有關甲骨入門書，見到羅振玉的《殷虛書契考釋》，但書價昂貴他買不起，又不能借閱，只得望書興嘆，幸好得書店主人慶大郎的指引，知道東洋文庫有這類的書，他透過新聞記者山上政義的協助，及作家藤村成吉的推介，得到文庫主任石田幹之助的許可，以林守仁假名，借閱文庫所藏有關甲骨的書刊，因而使他打開了甲骨研究的堂奧，並涉及了金文、考古等古史資料，從民國十九年他的《中國古代社會研究》起，接著《卜辭通纂》、《殷契粹編》、《甲骨文字研究》、《殷契餘論》等甲骨專書，先後問世，開創了甲骨研究的新天地。在他的《中國古代社會研究》中對羅、王二氏極為推崇，「卜辭出土之歷史」一節中，郭氏說：

> 甲骨自出土後，其蒐集保存傳播之功，羅氏當居第一，而考釋之功亦深賴羅氏……與羅氏

雁行者爲海寧王國維。……此爲對卜辭綜合比較的研究之始……謂中國之舊學自甲骨之出而另闢一新紀元，絕非過論。

他以所見甲骨資料，分漁獵、畜牧、畜牧、農業、工藝、貿易等五項來研究，開創甲骨研究與古代社會史結合的新天地。在甲骨出土初期，當時在國學界頗有影響力的國學大師——章太炎先生，始終不承認甲骨文的真實性，總以為那是古董商人作的假；後來郭氏看了董作賓先生的「新獲卜辭寫本」，郭氏說：「因由發掘而得，是為中國考古學上新紀元，足以杜塞懷疑卜辭者之口。」在此，卜辭真正成為中國新發現的學術資料。

羅雪堂（振玉）、王觀堂（國維）、郭鼎堂（沫若），加上董彥堂（作賓），在甲骨學研究史上，學者們習慣地稱為「甲骨四堂」！前三堂我們已略作介紹，現在我們來了解一下董彥堂先生在甲骨學上的成就：

・甲骨學上的成就

甲骨發現初期，小屯村民為了賺錢，青壯勞力以及老弱婦孺，競相挖掘甲骨出售，學者稱此一八九九到一九二八年期間，為非科學發掘時期。小屯村民的甲骨，通過古董商轉手，賣至王懿榮等蒐購者及外國人之手，先後總數約達八萬片以上，因而有不少甲骨流到國外，無疑是國家的損失，也是學術上的損失。加上這時期的發掘，是非科學的發掘，雖然可供研究，畢竟不科學，不能了解甲骨在土中的情形；為了減少甲骨資料的損失，並擴大甲骨的蒐求，在民國十七年春天，籌建中央研究院歷史語言研究所期間，就派董作賓先生前往安陽殷虛，調查甲骨文出土情形。當時學者們均以為幾十年來，早為村民羅掘一空，再發掘到甲骨的機會應是很小。

小屯村在河南安陽西北五里左右，明萬曆四年（一五七六）始命名小屯，村民據說是明洪武年間，由山西洪洞縣遷來，全村約三十戶的小村莊。彥堂先生啣命來小屯實地勘察，多方查詢，覺得甲骨挖掘尚猶未盡，村北沙丘上有挖掘新坑，於是寫了一篇調查報告，並附上試掘計畫，中央研究院的科學發掘，於焉開始。

從民國十七年正式開始發掘，到民國二十六年六月結束，前後歷經九年，共發掘十五次。第一次至第九次先後共得甲骨六四九七片，其中包含了第九次侯家莊南地發現的大龜七版及字骨八、字甲一在內。而此六千多片甲骨，於民國二十六年選拓編成《殷虛文字甲編》，不幸七七抗戰，圖版失落上海滬東商務的印刷廠中；三十八年又與商務訂約，在香港出版，由於訂價昂貴，不是一般讀者可以負擔，不久香港亦淪陷；一直到抗戰勝利復員南京後，甲編才真正三度製版付印。

雖然號稱出土了六千多片，它是根據發屈出土時巨細無遺地統一登記，有的一大片上僅有干支兩字，有的指甲大小一片只有半個貞字，全部印出，一定龐大價昂，不得已略作篩選，所以甲編總共選了三千九百三十八片，除了編號，每片都依發掘次數——甲用〇、骨用2字為代號，附發掘編號，以便讀者查檢、核對，可謂十分科學。

在第一次發掘中，曾分別在小屯村中、村北及洹河南岸三處掘出甲骨文字，董先生非常細心地發現三個地方的文字有些異樣，因而引起疑問，是否是時代不同的關係？陷入了苦思冥索，直到兩年後—民國十八年十二月十二日第三次發掘，在小屯村北大連坑南段長方坑內，發現了比較完整的四塊龜腹甲，稱為「大龜四版」（即在甲編的二一二四、二一二一、二一二三、二一二二），其中第四是一塊卜旬龜版，在民國二十年安陽發掘報告第三期中，董先生發表一篇〈大龜四版考釋〉，文中時代考四，肯定貞上一字是人名；因貞人以定時代，設想由貞人、坑層、同出器物、貞卜事類、所祀帝王、文體、書法、用字等來綜合分析。

民國二十二年，董先生由於先後發掘到完整的腹甲，從甲骨實物的整理，有刻兆、塗朱、塗墨；文例有同文同版、同文異版、成套卜辭、甲橋刻辭、骨臼刻辭、背甲刻辭、毛筆書寫、刻字銅刀等等，以及王室世系、祭祀時的稱謂、祀典週期，於是讓十多萬片零簡斷篇，有了綱領，乃在《慶祝蔡元培先生六十五歲論文集》上冊，發表了鑿破混沌、繩之以經緯的〈甲骨文斷代研究例〉由貞人的確定，綜合分析，乃分為：「一期雄偉、二期謹飭、三期頹廢、四期勁峭、五期嚴整」，八世十二王，以及十項標準，乃能將從盤庚遷殷到帝辛失國的其中二百七十三年所出土的甲骨，找到了一個可以有條貫安置的資料架。

郭沫若在《卜辭通纂》序中說：「十項標準，體例綦密，貞人本董氏所揭發，坑位一項，尤非身親發掘者不能為，文雖未見，知必大有可觀。」後來看到〈甲骨斷代研究例〉後，郭氏又說：

「復驚佩其卓識，如是有系統之綜合研究，實自甲骨文出土以來所未有……貞人之年代既明，則多數卜辭之年代直如探囊取物。……」——「斷代研究例」等於開啟甲骨文謎團的一把寶鑰！

雖然後來有貝塚茂樹的《甲骨斷代研究法》之再檢討、陳夢家《卜辭綜述》、島邦男《殷虛卜辭研究》等，對斷代分期提出修正意見，討論到午組、自（尸）組、歷組、子組等卜辭，屬於四期文武丁還是屬於一期武丁晚期？縱是異說紛紜，但都是站在董先生的斷代理論基礎上作學術性的討論。後來在民國五十年，中央研究院史言所集刊外編第四種，慶祝董作賓先生六十五歲論文集，嚴一萍先生發表《甲骨斷代研究新例》，對各家斷代異說作了檢討，肯定文武丁卜辭的客觀標準，貞人釋疑，說明貞人可以異代同名，然後提出十項補充例證。到了民國七十一年，嚴先生又發表了《甲骨斷代問題》，說明新例的客觀證據即文武丁卜辭的二月之閏，與文武丁的𡳿祭系統，用月食定點，肯定貞人賓的年代，貞人大應屬於文武丁時期，綜合了小屯南地甲骨及坑位，以及婦好資料，對不同意見，作了結論；同時除了少數甲骨斷代有游移外，甚至連最後出版的《甲骨文合集》，仍採董先生的五期斷代，經過了五十年的檢驗，斷代方案雖小有瑕疵，但大體上可用的！

由於有了大龜四版，建立了「貞人」，產生了斷代理論，這是拜科學發掘之賜。民國二十三年四月，第九次發屈侯家莊南地，發現六塊較完整的腹甲及一片殘背甲，號稱「大龜七版」，（甲編三九一三—三九一九）均屬第三期廩辛、康丁的貞人「狄」卜辭，董先生〈安陽侯家莊出土之甲骨文字〉一文中，說到大龜七版的出土意義：給研究時代問題一個很大的幫助，第三層出土龜甲屬第三期，第二層出土第五期字骨，同出土遺物有刻紋陶片、帶釉陶片，可以說是殷虛最晚期的特產，在殷虛不能十分斷定者，這裏給了一個有力實證。根據文字來斷定其他遺物的時代，並以斷定遺址的各個時代，這是可以互相為用的。

民國二十三年至二十四年秋，展開了第十、十一、十二次發掘工作，主要地點在侯家莊西北岡，這三次發掘，發現了大墓十座、小墓一千二百二十八座，得知亞形墓穴及大批遺物；銅面具便是此次的所得。

最特殊的是民國二十五年第十三次發掘，發現版築基址、穴窖、水溝、戰車等，尤以白陶為最精，從三月十八日至六月十二日，由於天氣漸熱，且未獲得任何甲骨，乃擬收工，卻在「掃尾」時，忽然發現一處未經擾動的整坑甲骨，坑口距地面一米七，坑底距地面六米，整坑佈滿了甲骨，並有一踡曲人架靠近北壁，身軀大部壓在龜甲之上，這便是有名的「H一二七坑」。由於數量龐大，處理不易，乃將整坑龜甲連土取出裝箱，重達三噸，用大木箱運到南京，進行「室內發掘」，三四個人工作了三個月之久，共得甲骨一萬七千零九十六片，至少有三百版完的龜甲，但尚不及加膠黏固、兌合，抗戰即開始，紙盒裝箱，先後到長沙、桂林、昆明，輾轉到龍頭村，由高去尋、胡厚宣二位負責整理，一一編號，但紙盒經三年的潮濕、萬里的顛簸，都已破爛混雜，無從分解，一時不易兌合，而學界更切盼這批資料急於見到，乃將十三、十四、十五次所得，編成《乙編》，這一大批出土資料，更提供了不少以前未知的新經驗。大致見董先生《殷虛文字乙編・序》，最重要是〈揭穿了文武丁時代卜辭的謎〉，發現「新舊」兩派，也發現殷人的「有意存儲」、以及甲、骨分埋的情形。而民國六十二年，小屯南地又出土了甲骨一大批，也為有意埋藏甲骨，提供了新的證明。

・科學的治學態度

抗戰期間，史語所遷到四川南溪，董先生由斷代例進而對甲骨作全面整理，費十年之功，成舉世聞名的《殷曆譜》，從民國三十二年先生手寫原稿付石印，至國三十四年四月完工，石印兩百部，每部有號碼。全書約七十萬字，傅斯年先生作序；其自序一開始便說：

> 此書雖名殷曆譜，實則應用斷代研究更進一步之方法，試作甲骨文字分期、分類、分派研究之書也。余之目的一爲藉卜辭中有關天文曆法之記錄，以解決殷周年代之問題；一爲揭示用新法研究甲骨文字之結果，以供治斯學者之參考；前者在曆，後者在譜；蓋由譜以證曆，非屈曆以就譜；曆求合天，譜徵信史。

這便是彥堂先生科學的治學態度。全書分上下兩編：上編為論文部份，共分四卷，第一卷總述殷代曆法、紀時、紀日、紀月、紀年，及閏法，首列新舊兩派之禮制大別，示全書研究之新法；第二卷敘各譜編製之經過，尤詳於合天之曆譜、氣朔之推求；第三卷為祀譜研究編排之總說明，得新派之嚴密組織之祀典系統，及殷人世系；第四卷乃欲藉甲骨卜辭中曆日之記錄，徵之合天曆譜，以考定殷、周年代，得殷總年數為六二九，遷殷後之年為二七三，周總年為八六七，皆舊說之所有，而殷、周之際有犬牙交錯之十年，則為董先生之創見。

下編十卷，分列十譜，而以年曆譜為其總綱。舉盤庚遷殷至帝辛之亡二百七十五年之朔、閏、月、日，列十二目，參用現代天文年曆學之工具，以便檢校，朔期合天，閏重史實，得知殷代之用古四分曆術；其餘九譜，為㈠祀譜，以彡翌祭壹劦五種祀典為骨幹，五祀一週適為一年；㈡交食譜考定卜辭中武丁文武丁兩世日月食之紀錄，可證殷之建丑及舊派十三月置閏制，足可作年代學上之定點；㈢日至譜考兩至，尤以文武丁卜辭紀「五百四旬七日」之數字，為四分術一年半歲實之僅存者；㈣閏譜考訂新派閏置年中，舊派年終置閏，而以帝辛十祀閏九月為重要證據；其中日譜集同時之卜辭，依次逐日排列，得武丁伐鬼方、帝辛征東夷之真象。

全書體大思精，所有研究甲骨文之方法，均用於其中。而其中由於第五期五種祭祀系統之求得，及少數卜辭記有祀、月、日、祝典、先祖五種關係，密切連鎖，是為董先生發憤研究殷代曆法之開端；其中乙辛兩譜，為最先研究之成果，亦是董先生編著《殷曆譜》全書之總動機。及後推算日月食及他譜，並擴成年曆總譜，乙辛祀譜乃有歸宿，全書架構得完整密合。

書成之時，在抗戰末期，不久又遇神州變色，當時學界頗多讚譽，當然「譽之所至，毀亦隨之」，民國六十七年，嚴一萍先生再版《續殷曆譜》，即說明反對《殷曆譜》者，一則出於對古史之懷疑；二則馬克斯奴隸社會之理論；三則未能讀到或讀懂《殷曆譜》，於是為反對而反對。實則董先生全書發表後，學者如有指出其疏漏處，先生則立即從善如流，予以刪削或修正〈殷曆譜自我檢討〉，有人不信殷商有如此科學的曆法，而董先生親自參與發掘，目睹遺址，手摩甲骨、器物，深以為殷商實為一高科技社會，日本學者不信，共產信徒不信，疑古者不信，那是昧於事實。舉世甲骨學者，沒人能比董先生對殷商文化的深知、對甲骨文的熟悉，加上先生思想縝密，心細如絲，觀察入微，再運用現代天文科技，求出合天之曆法，他不僅用幾千年來中國傳統的干支紀日法，（太陽、月球、地球的週期亙古未變），再利用所謂「量天尺」之一的儒略周日為檢算，以證其精密。

何謂儒略周日？它是一條長尺，是法國曆法學家史迦利日氏，在十六世紀創造的。它是從西曆紀元前四千七百一十三年，儒略曆的元月一日起算，一日為〇，二日為1，相當於甲寅，一直算到七千九百八十年，包括了全世界任何國家有史以來的日數，稱為儒略周日。現在世界各國天文家、歷史家都普遍用它，極為便利。再則幾次日月食，核對德國天文學家奧茲泊爾的交食表，換算成安陽地區的時刻，以求其合天，這些都是極科學的方法，作不得假，董先生一開始便說供治斯學者之參考，其中資料是可以調整修正的。嚴一萍先生說：「能對《殷曆譜》有所補充或修正，才夠資格批評《殷曆譜》。」幾十年來信之不疑的是嚴先生，為董譜作若干修正的也是嚴先生。嚴先生得彥堂之真傳，目光犀利，思想敏捷，多年來一方面為先生辯解，一方面「吾愛吾師，吾更愛真理」地為《殷曆譜》修正補充，使得十五萬片斷簡殘片，有系統地成了殷商信史，替甲骨學奠定了的研究堅定基礎！有志治甲骨者，捨此莫由。

・甲骨學大師

末了，我們引王宇信一九八九年《甲骨學通論》一書中對董先生的推崇（頁三三八），說：「董作賓是我國甲骨學和考古學的主要奠基者之一。他知識淵博，涉獵廣泛，包括古文字學、考古學、歷史學、古年代學、地理學、文學藝術等，著作等身，對甲骨學做出了重大貢獻！」王氏又說：殷虛之科學發掘，端賴董氏之正確判斷，公布大量科學發掘的材料；斷代例將甲骨研究推向新階段；五期說及十項標準，雖然個別地方尚須完善、修訂，但五十多年來行用不衰，愈益證明它的體系縝密與科學。董氏對甲骨自身的規律如占卜、文例、綴合、辨偽，奠定良好基礎；《殷曆譜》一書，對殷代曆法提供了可能利用的材料，是研究殷代曆法所不可缺少的專著！

這些話都是學者們的真正評語，毫無溢美之處，當年不信他的，而今都稱董彥堂先生為——甲骨學大師。

民國八十二年六月於傍南山居

（原載於　國立歷史博物館館刊（歷史文物）3:3・董作賓百年紀念文物展專題，1993.07，頁54-60）

冬飲廬藏甲骨文字考釋

蹉跎時日，年齒徒增，而心為形役，嘗咄書空！僕自幼嗜文字小學，然長而牽於蔑事，勞於升斗，雖心嚮往之，苦無津筏。客歲得奉卷就正於秀水嚴先生，先生嘗曰：今日甲骨古史之學，雖有劉、羅、王、董諸先賢披荊於前，而榛蕪滿眼，寶藏豐盛，無異我學術上之新生地也。而世之治斯學者，或失之飣餖，或失之浮誇，故初習者不可不慎其始；乃授冬飲藏甲骨文字曰：治學必先治「器」；識字、通辭、辨體、分派、斷代、比事……斯治契學之「器」也；「器」善而後「識」精，乃可治甲骨之「學」，今先試為隸釋，或有所發也。余奉卷惶惶然，籀讀經年，課餘燈下，摩挲竟夕。顧冬藏雖有六百餘片，然多零甲殘骨，不成句讀。而其中不乏碎金，乃不揣淺薄，試為考釋，藉以自治讀契之「器」，非所敢望鼎彝也！

冬一：（鐵一三九・一，佚八三二，存一・一四九八，南無四六二。）

辛酉卜出貞其巾新宗陟告于祖乙

冬 1

此片乃牛胛骨卜辭之殘片，由辭中干支書法及貞人「出」，據彥堂先生所著《甲骨學六十年》頁八十二及頁一百之考證，知為第二期祖甲時之遺物。本片最初著錄於《鐵雲藏龜》一三九・一，蓋劉氏之舊藏也；再見著錄於《殷契佚存》八三二，又著錄於《甲骨續存》一・一四九八。民國四十年胡厚宣又將其寫入《戰後南北所見甲骨錄》，《無想山房舊藏甲骨文字》第四六二片。蓋原物已幾易其主矣！是批甲骨之滄桑流離史，具見於周法高氏〈跋冬飲廬藏甲骨文字〉，載《中央研究院史語所集刊》第三十七本。茲不引錄。

著錄本片諸書，拓片均甚漫漶，故歷來名家繹釋或摹錄此片者，其間文字，均有相當出入，惟此拓本較為清晰，茲有數字，尚須斟酌者：

一、巾字，孫詒讓《契文舉例・貞卜篇》，引此隸作「不」字；商承祚《殷契佚存・考釋》頁九十三，八三二片隸作「□」，無解。胡厚宣《南無》摹作「□」；島邦男《殷虛卜辭綜類》一書，一二三、一七八、三六二、四一五等頁，數引列此條，均寫作「□」。今細察拓本，孫氏之隸作「不」字，或因藏龜舊拓不清，誤認為「不」，實則該字除上半模糊難以確認外，而下半「巾」則甚清晰，並非字筆勢也。商氏作「□」，亦是添足之舉。今察《佚存》八三二片，字作「巾」，並無「□」之痕跡；唯一令人不解者，即胡厚宣之摹本作「□」，「□」之與「巾」，相距甚遠，何可混同？周先生跋謂：「胡氏摹錄時，我也在場……」，足見胡氏當日確係親摹手撫無誤，然則何以有此差誤？竊意摹錄過多，難免掉以輕心，不遑細審原片，遽爾寫下，以致與原片大有出入；或亦因此而使島邦男氏過錄此片時，採胡氏目擊之上半，而驗以拓本清晰之下半，乃作折中之書定，而成上半作「□」，下半作「巾」之「□」。綜類錄列「□」字凡兩條，一為本辭，一為京二七四六作「□」之殘辭，別無他辭可供比勘。金先生《續甲骨文編》卷二頁十七列「□」字，注續存一四九八。此為第一個問題字。

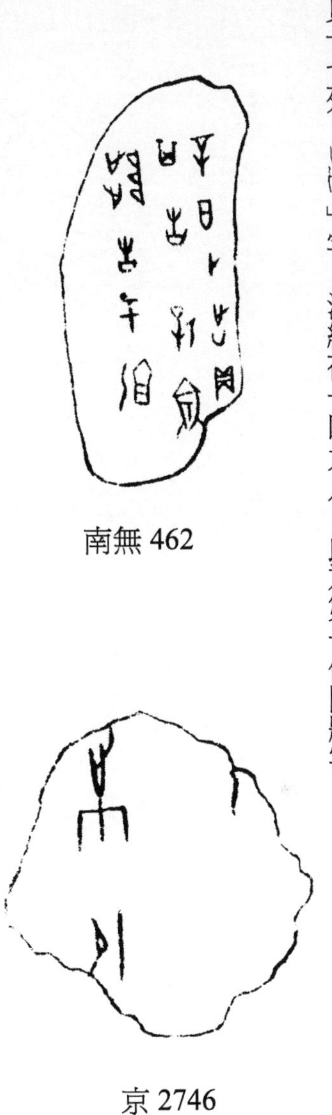

南無 462

京 2746

二、□字，商氏考釋寫作「□」，金先生《續甲骨文編》第十四卷四頁，新字下引《佚存》八三二此字作「□」，島邦男綜類作「□」。各家均疑為「妣辛」合文，然搜求卜辭，祖乙與妣辛同辭者，極為少見，僅《殷契佚存》四一〇片，商氏考釋為：「鬯妣辛口，祖乙二，王受祐」。實則此片殘缺，不成辭句，「□」商釋妣辛，恐未能安。另一片為《甲骨文錄》二八七片，或釋為：「祖乙□，妣辛鬯」。此「妣辛鬯」恐為新鬯之誤釋，蓋妣辛為大甲配，不可能與祖乙同祭也。

佚 410

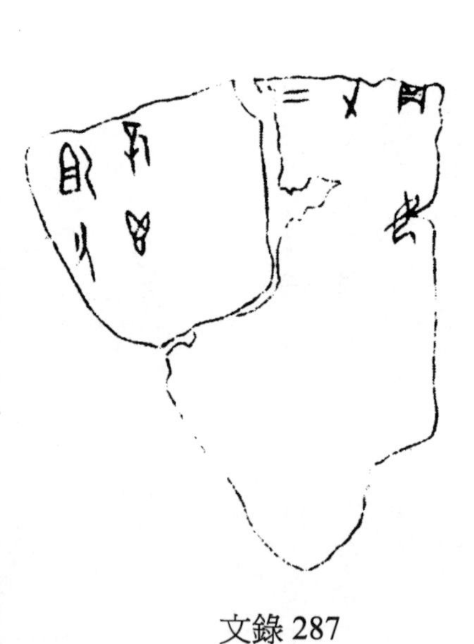

文錄 287

三、[glyph]字，《佚存考釋》寫作「[glyph]」；《南無》四六二作「[glyph]」；《卜辭綜類》諸條均寫作「[glyph]」；《甲骨文編．附錄》二十二頁作「[glyph]」，注為鐵一三九．一；金先生《續編》卷七．二十頁作「[glyph]」，注佚八三二，釋為宗字，前此各家無解。又《續編》附錄一．二十四頁著錄「[glyph][glyph]」，注續存一四九八，釋為「⿱宀新宗」。

按夫子摹本《鐵雲藏龜》一三九．一，作「[glyph][glyph][glyph]」，疑為「㞢（㞢字倒寫）妣辛宗」。今細察《藏龜》拓本，於巾字上隱約有「一」，故夫子定為「帀」，今見各家或拓本、或親摹、或隸定，均甚有出入，則此字甚可商榷也。佚存及冬飲「巾」字上部隱約作「□」，是為諸家岐定之因。今考「㞢妣辛宗」一辭，亦可商討：蓋在他人之宗祭某，必作「㞢某于某宗」，此處㞢祭妣辛之宗，似不成辭，若是在某宗祭，則某宗上又當有在字，此可商者，一也。又前曾疑妣辛不與祖乙同辭，此處「妣辛」實亦難定二也。「□」字祥恆先生逕釋為宗字，而島邦男氏又將此字與佚七二二之「□」字並舉，商氏此條釋為：「□□卜，出貞：王征□」。曰「□為國族名」，此字是國族名，當亦是地名、方名。

佚 722

則此字又可從胡氏釋為地名矣，由此可知甲骨卜辭之不可輕予論斷也；金先生於《續存》此片釋釋「新宗」，竊以為尚無不妥。唯「巾」字難安耳！今疑上「巾」字即是「巾」字，蓋即《周禮》巾車之官之「巾」字，或為車衣，是為名詞，或有拭意，而為動詞。太炎先生《文始略》曰：「《說文》，巾佩巾也，旁轉諄，孳乳為搢，拭也。又旁轉諄，孳乳為墐，涂也。」今按《詩・豳風・七月》：「塞向墐戶」。傳：「墐，塗也」。《說文》：「墐，涂也。从土，堇聲」段注：「《內則》曰：塗之以謹，注曰：謹當為墐聲之誤也，墐塗，塗有穰草也。按合和黍穰而塗之，謂之墐」。今日北方鄉村，尚有以泥土和以稻稈，麥稭之類塗墻，則墻無縫隙；再傳以白堊，則舊屋換新矣。此處「巾新宗」，蓋即修葺宗室，而升告祖乙於此新宗也。故此辭當釋為：「辛酉卜，出貞：其巾（墐）新宗？陟告于祖乙。」未卜可通否？謹就正於大雅。

冬二：（佚六七五，無想二三九。）

(一)……亡……

(二)……貞：□祊人㚫？有疾？

(三)……□……

此片乃龜腹甲尾部之殘餘，以其書法、事類，及□字，可推知其為第一期武丁時之卜辭；初著錄於佚存六七五，胡氏摹入無想二三九。左上方似有剜削之跡，唯文字尚清晰可觀。本辭為對貞，故未紀日干及貞人。

冬2

(一)……亡……，為殘辭。

(二)□：《甲骨文編》附錄第二十二頁，與「□、□」等字並列；金先生《續編》從之，收入斤部「新」字之後；《甲骨文字集釋》卷一・八十九頁，收孫、金二氏所列之「□」字（隸作祈、蘄字），下並列□、□、□等字。則此字各家或釋祈、斳字，或存疑。今從前者，釋為斳字。按斳字有二義：

1.方國名、地名、人名：

①貞㞢于斳？　（前一・四七・六）

②步于斳？十一月　（後下二二・一八）

③斳侯（佚九五二）

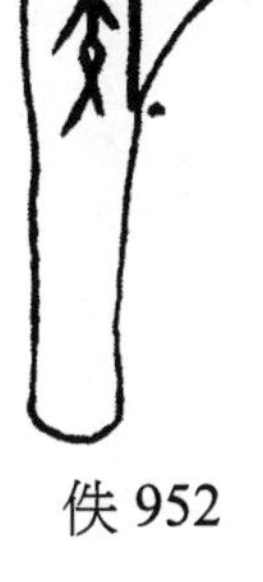

佚 952

2.動詞，祈匄之義：

前 1.47.6

①王不祈……（鐵一四二．四）

後下 22.18

②……爭貞：王夢唯祈……（後下二〇．五）

鐵 142.4

後下 20.5

㈢口人……此詞之釋，各家說法不一，或有釋「口」為「丁」，「丁人」即「登人」之假借，然考卜辭，凡登人之辭，必與戰爭有關。如：

①庚子卜，宂貞：勿登人三千，乎[illegible]方，弗……受㞢祐？（前七．二．三）

②戊辰卜，㱿貞：登人乎往伐𢀛方？（佚一九）

前 7.2.3

佚 19

是「登人」者，乃若今之徵召入伍，或調集武裝，開赴前方作戰也。而此處「□人」，並無征伐事跡，屈萬里先生《甲編考釋》，頁二一〇釋為「祊人」，謂以人為祊祭之犧牲也；而此處若作殺人以為門內之祭，似亦有商榷處。按「□」字可以讀為方，通作祊、閍、鬃、報等，為祭名；正如吳其昌《殷虛書契解詁》頁五五—五七略曰：「來；方并祭名也……如云『禘祊』、『告祊』、『礿祊』、『宗祊』……等，悉例證也……方，即祊也。蓋『方』者，或作□；田即祊甲是也……溯其最初之義，蓋謂祭時納主于方形石室之中，故□、コ、匚意同『方』也。及方行而□、コ、匚形廢，於是又因方字寫法之異式，形聲之滋岐而化為各種不同之通假變化字。……《春秋》襄公二十四年，《左氏傳》：『以守宗祊』……《周禮・大司馬》：『致禽以祀祊』……」又在同書二七九頁，引《佚存》本片隸作「……㐭貞：果□人㓜……㞢痛」，未解此「□」字為何意？然□有祭意，卜辭甚多；亦為受祭者之名，其例甚多；今不例舉。唯以祊祭殺人以祀，典籍無考，今并查卜辭中之有「□人」者，似非祭名，而為方國人名。如：

1. □人（前四・三八・七）
2. □□卜□來尸（即）萑芻我（前八・四・五）
3. 乙丑卜，又豕□人（乙八八九三）
4. 丙午卜，爭貞：效□人嬔不死，在□家有子（明三八七）
5. 丙戌卜，爭貞：□效□人（艱）？（林一・二一・一二）
6. 丙子……，又瘳□人于河，其用……？（甲六九〇）
7. 丁酉……，貞又于伊□……（南明四九三）
8. ……貞于乙亥……伊□人（南明四九七）
9. ……日其取伊□人？（南明四九七）
10. ……卜貞，今日其取伊□……（寧一・二三五）

一、前 4.38.7

二、前 8.4.5

三、乙 8893

四、明 387

六、甲 690

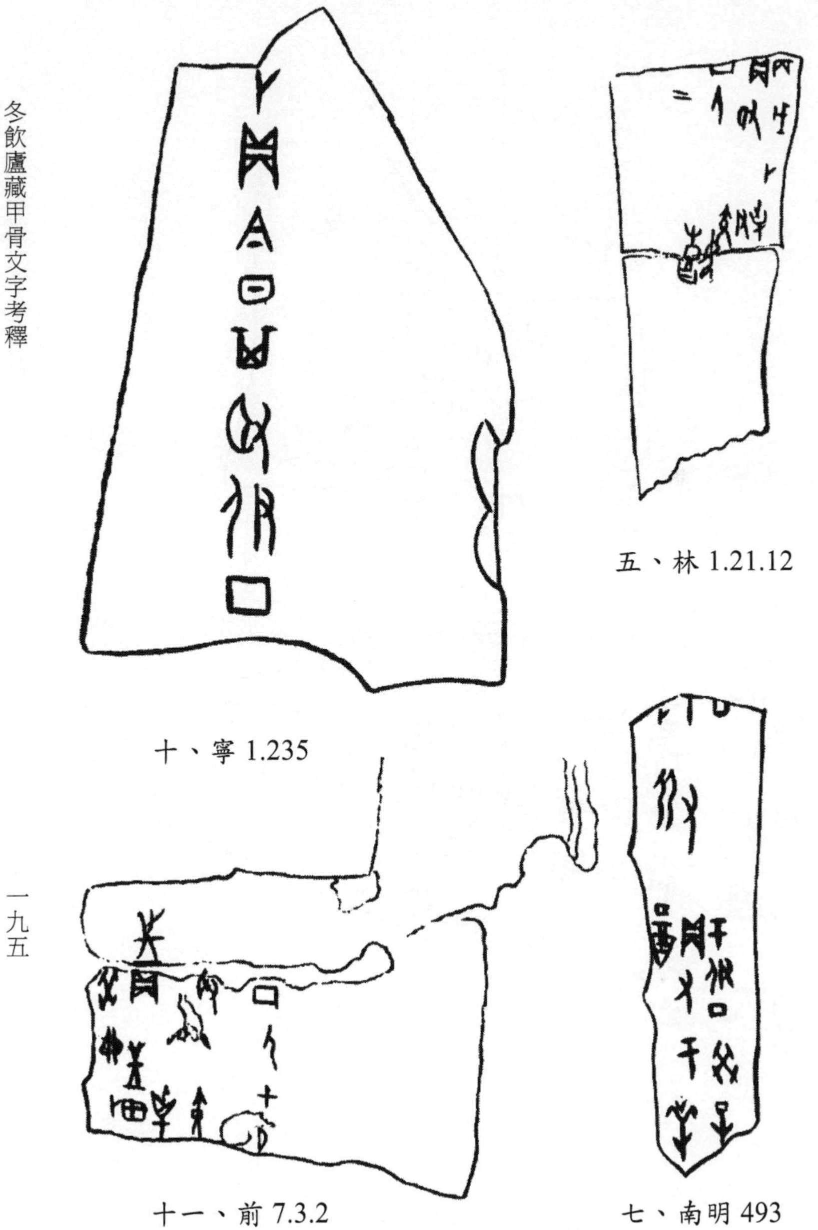

十、寧 1.235

五、林 1.21.12

十一、前 7.3.2

七、南明 493

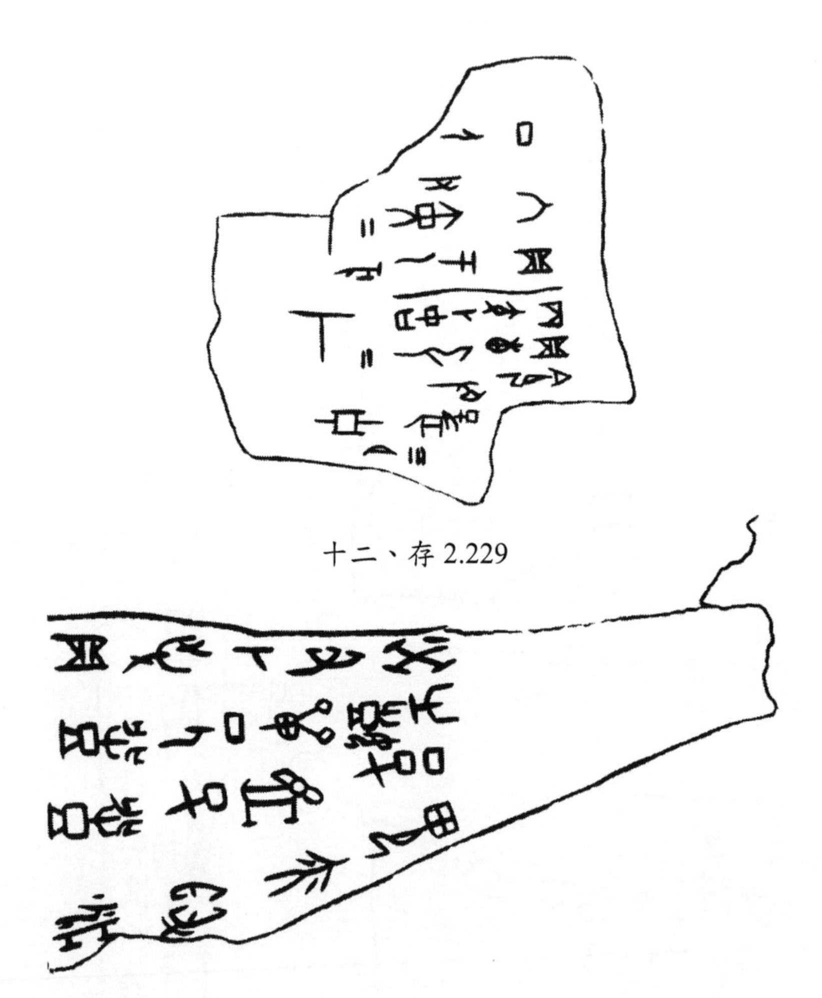

十二、存 2.229

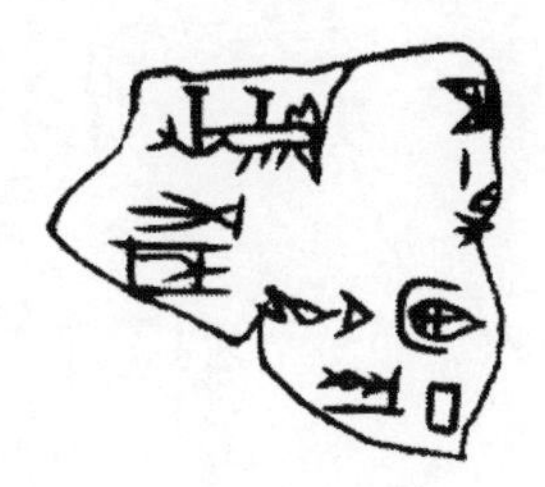

十四、京 1686

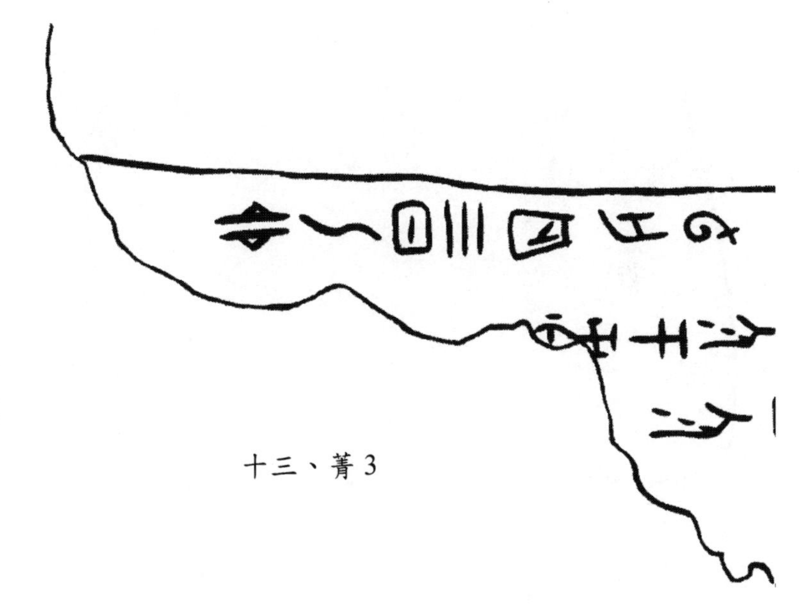

十三、菁 3

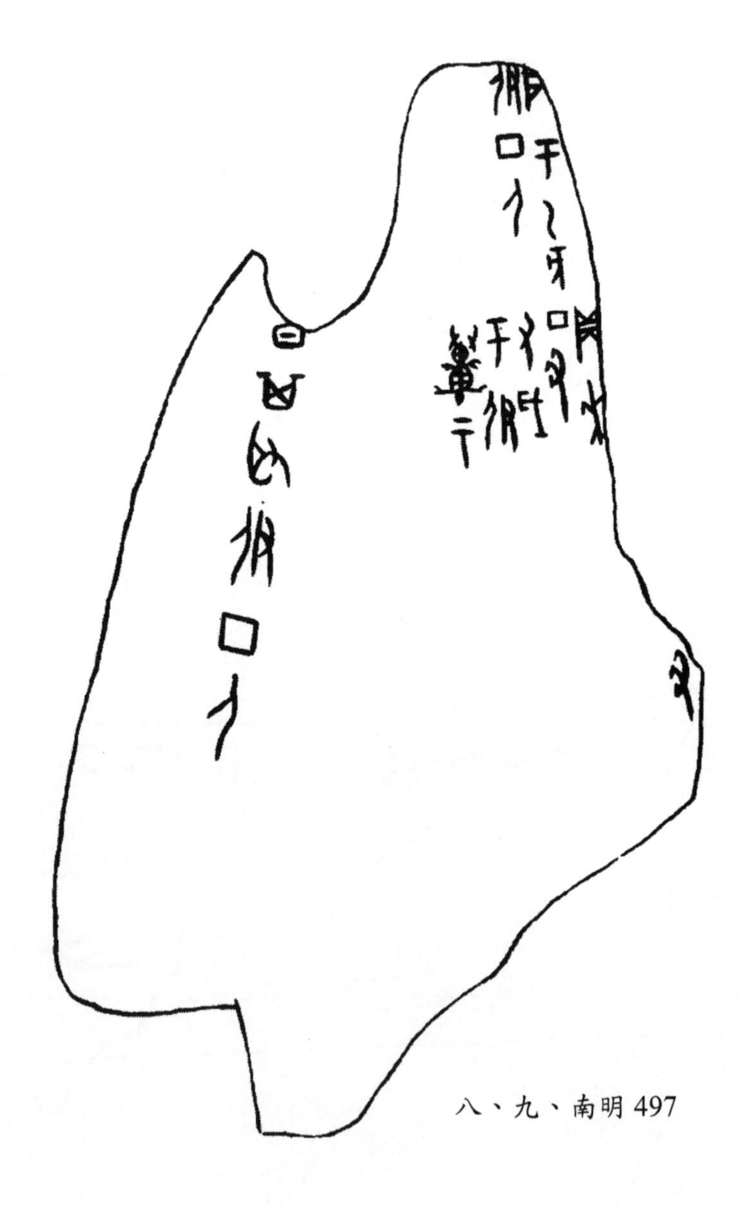

八、九、南明 497

11.癸卯卜，貞：往田……華取寅伊□[illegible]，七月（前七・三・二）

12.……貞，于乙亥六寅伊□？（存二・二三九）

13.癸丑卜，爭貞：旬亡禍，三日乙卯，有（艱），[illegible]□[illegible]登于[illegible]……丁巳，…馬子登[illegible]……鬼亦得疾……（菁三）

14.貞馬不死，迺令□侯……（京一六八六）

今彙列有□[illegible]之各辭於上，由諸辭考察，商氏之釋「丁人」，辨已如前，不得謂「登人」之假，而以人為犧牲之祊祭，似亦不妥。按殷代以人為犧牲之祭，在卜辭中往往曰「伐」、曰「羌」……，或舉數曰：「一人」、「五人」、「二十人」等，多與犧牲並用，亦必指出祭某祖、某人，而□[illegible]各條，並無受祭祀之人稱，且□[illegible]上大都有「豖」、「效」、「伊」、「寅伊」、「斲」等字；又京一六八六片有迺令□侯，則知□在此必為地名，蓋古者諸侯稱侯，如滕侯、薛侯；無爵稱人，如宋人某、鄭人某；此處某□[illegible]，猶言□[illegible]某也。此字不知其聲義，按《左傳・隱公八年》：「鄭伯請釋泰山之祀，而祀周公，以泰山之祊易許田。三月，鄭伯使宛來歸祊，不祀泰山也」。杜注：「鄭桓公周宣王之母弟，封鄭，有助祭泰山湯沐之邑在祊。」事又見桓公元年：「卒易祊田。」是知古有此地也。今從屈先生之音讀而釋為祊地之祊。

(四)[illegible]字郭鼎堂釋妿，讀為嘉，今隸作㚸。夫子《殷契徵毉》頁五十一，曰：「分娩得男曰

『㚥』，得女曰『不㚥』。」又曰：「字自羅振玉以降多釋奴，並以為奴隸字；郭鼎堂始釋放，謂是妿之省，讀為嘉。案其說甚是，〈釋詁〉文孔下云：『乙至而得子，嘉美之也』。是古人以得子為嘉，故卜辭曰：『不㚥隹女』。因㚥有美義，故他辭亦曰：『丙戌卜，王不其㚥』（珠五二五）。此與《詩》〈大明〉『文王嘉止』同義，固當訓美也。」是㚥有二義：一為嬰兒之性別；一為嘉善、嘉美之意。此處當是卜問是否吉之嘉也。全辭應是：「貞問祊人斲嘉否？抑有疾？」

㈤字，羅雪堂《增訂考釋》上卷十二頁，隸作昌，謂為人名；學者从之。而吳其昌《解詁》第一六九片引此片隸作㕣，與前辭貞字相連，誤以為貞人之名。今考卜辭中「㕣」字之義，可約為三：

1. 以為殷之先公先臣名者：

①年於㕣，夕羊，尞小宰，卯一牛？　（佚一五三）

②壬午卜，㱿貞：于㕣？（鐵二三二・一）

③……酌尞于㕣？（佚四九一）

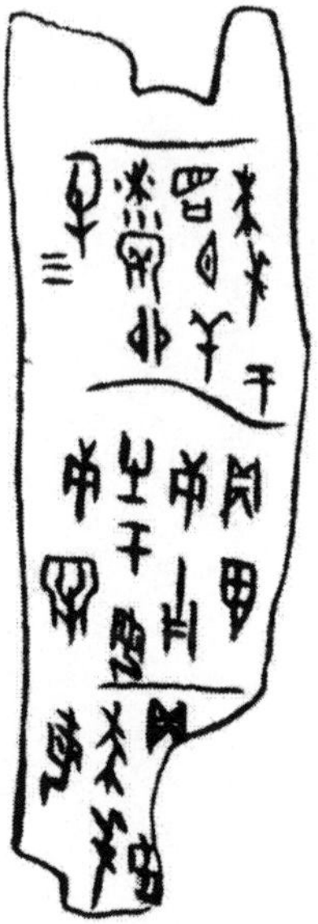

1. 佚 153

2.為殷代之人名：

①……卜，殻貞，子昌娩，不其㚤？　（乙六九〇九）

②辛酉卜，亘貞：昌……疾？　（乙七四三〇）

③壬戌卜，㝑貞：王固卜曰：子昌其隹祊娩？其隹不其㚤？（庫一五三五）

3.契文昌字，有□無□，均有作人名者，故各家多認為子昌即子目，然不知其為何種身份，但可確知其為人名無疑。此片為殘辭。

①……貞，子昌娩不其㚤？王固曰：隹茲勿㚤？（乙三〇六九）

冬三A：（南無一二八）

□卯卜殻貞勿㞢（于）高妣（庚）？

2. 鐵 22.1

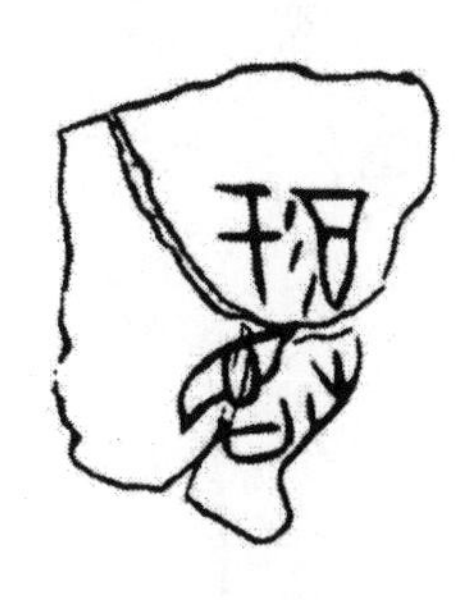

3. 佚 491

1. 乙 6909

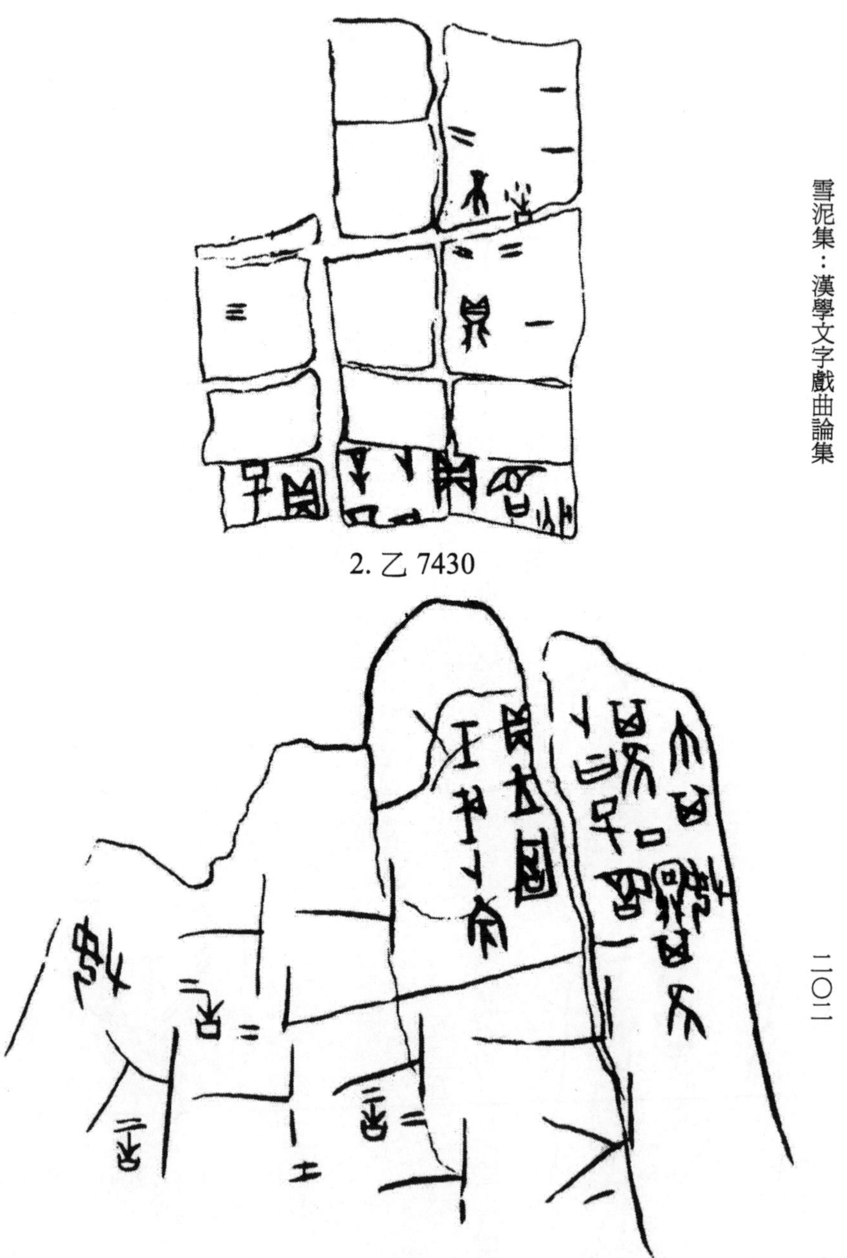

2. 乙 7430

3. 庫 1535

此片乃大龜腹左首甲之下半，由貞人㱿知為第一期武丁遺物。本版除《南北無想》收為一二八版之外，尚未見他書著錄。

按卜辭中凡稱先公先王之配者，皆曰妣某，其於妣某之上冠以「高」字者，唯丙、己、庚三人而已。吳其昌《解詁》三五一頁謂：高妣丙、高妣己均為太乙湯之配，高妣庚為示壬之配，實非；按太乙配為妣丙；仲丁、祖乙、祖丁配為妣己；示壬、祖乙、祖辛、四祖丁、小乙、羌甲之配為妣庚。夫子《殷契徵毉》頁二三曰：「攷殷先妣名庚者，示壬、祖乙、祖辛、四祖丁、小乙羌甲之配為妣庚。夫子《殷契徵毉》頁二三曰：「考先妣名庚者，且壬、祖乙、祖辛、祖了、小乙之配均」有之。……武丁稱祖乙之配，名高妣庚。」今據彥堂先生《甲骨學六十年》七八頁，殷人先妣

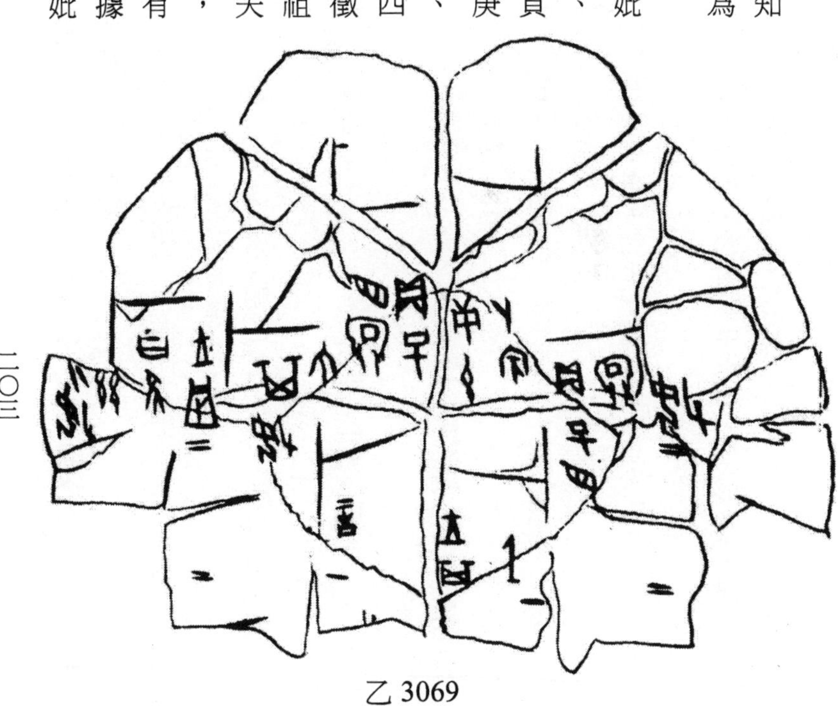

乙 3069

冬3A

1. 南明661

之配，其中祖乙配僅妣己一人，而未列妣庚，恐係遺漏。今查卜辭：

1.……于妣己、妣庚祖乙配……（南明六六一）

2.……于妣己祖乙配告……于妣庚（祖）（乙）配（告）？（南明六六〇）

3.……申卜，貞：王☐祖乙配妣庚……（後上二・一七）

4.庚午卜，貞：王賓祖乙配妣庚，劦日亡尤？（後上三・一）

5.……卜㱿貞，翌己卯……高妣己……用？（南明九六）

6.……貞，勿㞢于高妣己、高妣庚？（前一・三六・五）

7.于丑卜，㱿貞：于來己亥，彭高妣己及妣庚？（續一・三九・八）

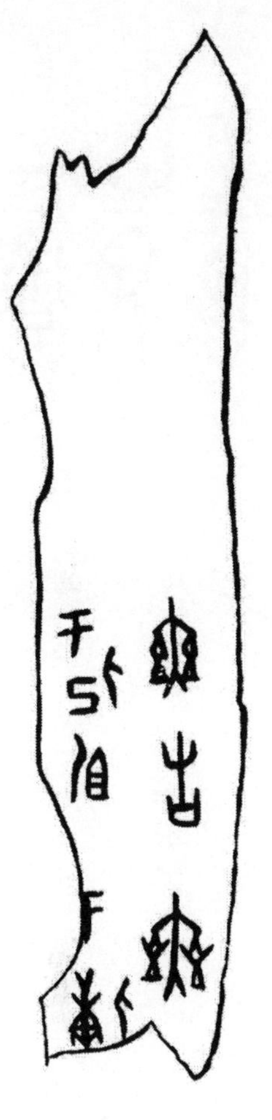

2. 南明 660

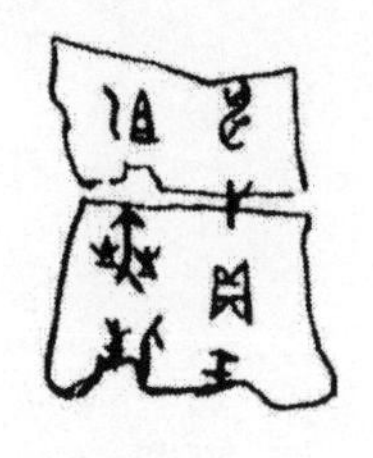

3. 後上 2.17

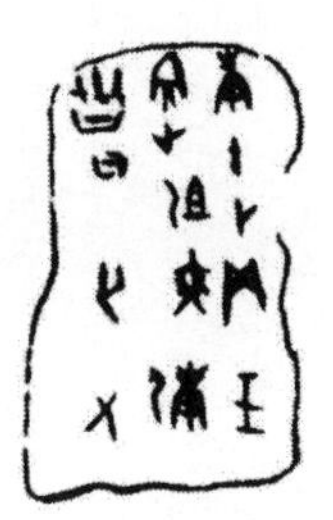

4. 後上 3.1

5. 南明 96

6. 前 1.36.5

7. 續 1.39.8

茲據上引各條，疑祖乙之配有己、庚二人，而祖辛之配，亦有妣庚，此片既為武丁時卜辭，則祖辛、祖乙之配均可稱高，而己、庚二人同為祖乙之配，亦未嘗不可。按夫子《殷契徵毉》二二頁曰：「考殷先祖仲丁、祖乙、祖丁之配，均有妣己，本片為武丁時卜辭，稱高妣己，當非祖丁之配。前一・三六・五片曰：『貞：勿㞢于高妣己高妣庚』。以已庚並稱『高妣』，惟祖乙之配最當。本片之高妣己，疑即祖乙之配。」前者夫子疑而未決，今則可據南明六六一、六六〇補彥堂先生所錄祖乙配之缺；定夫子所引屯乙三四二九片之高妣己為祖乙配；而續一・三九・八之妣庚，亦可確為高妣庚；則本亦可定為武丁貞問㞢否于祖乙之配，高妣庚矣！妣下「一」字，疑為卜辭序數。

冬三B：（南無一二九）

王固（曰）㞢東？……薛？

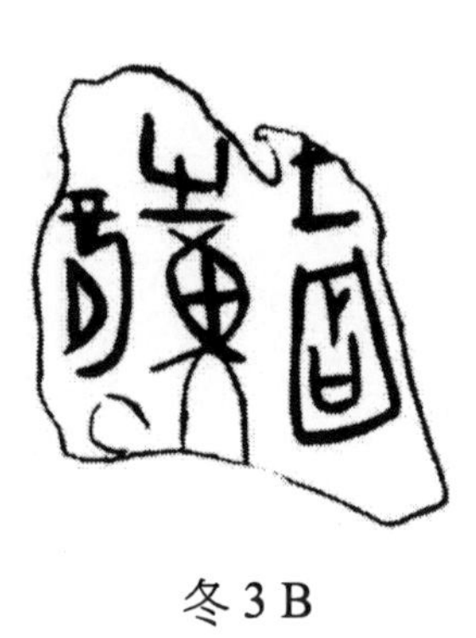

冬3B

本片為冬三之反面，所刻為王占驗之辭，除胡厚宣《南無》著錄，他書未見。此片為殘辭。

(一)［字形］字，疑即東字之殘文，蓋其下有鑽鑿，故字未刻全。東字在卜辭中或為方向之代稱，如東方、東土、東啚、東寢，或為地名，或為方名，或為人名。如：

1. 貞：尞于東母三牛。（後上二三・七）
2. 己巳卜，王尞於東。（前四・一五・七）

等例甚多，不煩備舉。故東下當另有字，然不能推測為何字耳！

(二)［字形］：自王靜安先生起，各家均釋此字為「辥」，讀如櫱，即天作孽之孽字，蓋此字有凶咎之意，與禍同（見《甲骨文字集釋》卷十四・四二九二頁）。丁山曰：「《詩・小雅・十月之交》：『下民

前 4.15.7　　後上 23.7

之櫱，匪降自天』，箋云：『孽，妖孽；謂相為災害也』。相為災害，是奇、芌、膀諸字之本誼；分別言之，則日月之妖為膀，山川之災為芌，謌謠之怪為奇，偏旁不同，其實一字。」此說甚是。

此辭蓋為：「王固曰：㞢東□（佳）芌。」

（原載於　中國文字第30期，1968.12，頁3295-3319）

補輔大與鄴三重著錄之又一拓片

民國六十二年，金祥恆先生因獲加拿大安大略博物館慨允，將明義士所藏甲骨文字拓本中屬於輔仁大學之拓本一百零九幀，允予公之於世，金先生乃將該批拓本發表於《中國文字》第五十期（六十二年十二月號）。然因該批摹本，最早見於胡厚宣氏《戰後南北所見甲骨錄》序文，並謂有與《鄴中片羽》三集所著錄有重複，但亦未指出是那幾片，金先生乃予以核對，發現重複者凡三，即：

1.輔大三，即鄴三・三五・四。

2.輔大十三，即鄴三・四六・十二。

3.輔大十五，即鄴三・三四・五。

今再檢核胡摹《南北集輔仁大學所藏甲骨錄》、明義士所藏《輔仁大學所藏甲骨文字拓本》，及《鄴中片羽》三書，又檢出一片，二者重出，可補金先生之三片為四片，即：

4.輔大六十五，即鄴三・四五・十五。（見附圖）

（原載於　中國文字新十五期，1991.09，頁37-38）

鄴 3.45.15

續甲骨的陽文

民國七十年，秀堂夫子曾於《中國文字》新五期刊：（甲骨的陽文）一文，共蒐得殷契粹編一、殷契拾掇三、京都一，共五枚。並引郭氏《粹編》一五八五考釋：謂呈陽文者乃泥塞字畫間，未被剔去，致高於周遭骨面，非真陽文也。再引《拾掇》郭若愚序言：「……椎拓時我看見反面附著非常堅硬的泥土，而且印上了甲骨文字，如秦漢泥封一般……把文字拓了下來……甲骨陽文的迷就此拆穿了。」而京都一片，係萍師目睹手摩，未能取得拓本，但五片均為背拓。

後來玉崢兄並提出陳夢家《卜辭綜述》附錄圖版二十二之一（見圖一）背拓亦有陽文若字，當可補成六枚矣。夫子旋因染恙，乃不及此。客歲玉崢兄於日本天理參考館所藏甲骨文字其TO五六，之陽文拓本，實為S五五之反文，在書前彩色圖版四十五頁，T片背面之泥塊宛然，且較S五五為大為完整，可見S五五不僅上部缺一角，下半缺一界劃及一殘字；然可惜不知TO五六正面為何也。（見圖二）而伊藤氏釋文亦未述及。此雖彩色圖片，足可當實物之證據，視而可知，則不必詞費或令人左猜。

當玉崢兄告我可檢視該書，不意又於同書第一四三頁，B四六三片之背拓，赫然又見兩塊殘留泥土所印出之陽文，正面為殘文：「牢，茲用」，背面殘土顯然（彩圖見頁二九），可惜釋文於此片正反面情狀均未置一辭，然其骨壓之凸顯弧度，亦至明顯，增此一片，則陽文背拓可增至八枚矣。且天理之圖片於陽文之成因求證，更見珍貴！

（原載於　中國文字新十五期，1991.09，頁39-42）

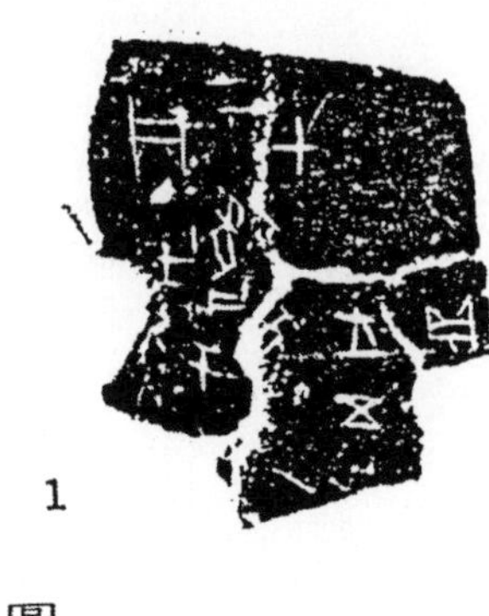
1

圖一

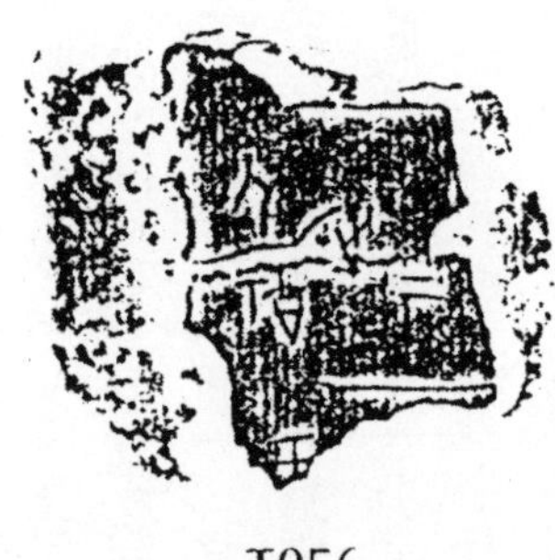
T056

S055

圖二

「英國所藏甲骨集」中錯誤綴合的一片牛胛骨

一九八五年，北京中華書局出版了《英國所藏甲骨集》上編，真是嘉惠士林，功德無量！記得金祥恆先生早年曾在《大陸雜誌》特刊二集發表：（庫方二氏甲骨卜辭一五〇六片辨偽兼論陳氏兒家譜說）一文，提出可疑七點，證明〈兒家譜刻辭〉為偽刻，但其書體行款又不似一般商估之可作成，因而甚難斷論，一九七五年，我在巴黎作博士後研究，秋季，秀堂師來歐洲，囑有暇不妨去倫敦大英博物館看看，目驗一次，能否找出一些端倪。

第二年初春，我便偕同內子及友人，作英倫之遊，在不列顛博物館的東方文物部櫥窗中，果然見到了那片兒家譜骨片，骨臼部份已不見，衹剩下半較寬部份，第一個貞字便是晚期字形，子字下引一筆，千篇一律，實在不像其他刻辭中相同的字，總有些變化，但也說不上是真是偽！當時想買個拓本或照片什麼的，結果也沒有，倒是內子買了一本「胡笳十八拍」畫冊，我只買了顧愷之的女史箴複製品，回台後送給曉峰師，作為紀念。心中總覺沒有弄到兒家譜圖片為遺憾。而念此書出版，雖然秀堂師、祥恆先生相繼謝世，未及據此書而予以指點，畢竟此書連彩色照片及拓本都印出來了，兒家譜未及研究，但卻發現書中有誤合之拓片，不得不提出來以求教於該書編者。

書中第五九三號（圖一），其上半為牛胛骨近骨臼處之殘骨，摹本初著錄於金璋氏五三五號（圖二），下半為右骨右邊緣之中間部分，摹本為金璋四七七號（圖三）。雖然卜辭內容同有辛卯，五月，同有菁重，但骨臼部分有序數三，而四七七號上并無序數，故二者實不能綴合，即使為同一骨折，亦僅可遙接而已（圖四）。且方法歛摹本還有骨身刻辭，應有骨臼拓本，是否因為是偽刻，故編者未予列入？抑係失拓耶。

（中國文字新十六期）

（原載於　中國文字新十六期，1992.04，頁 219-222）

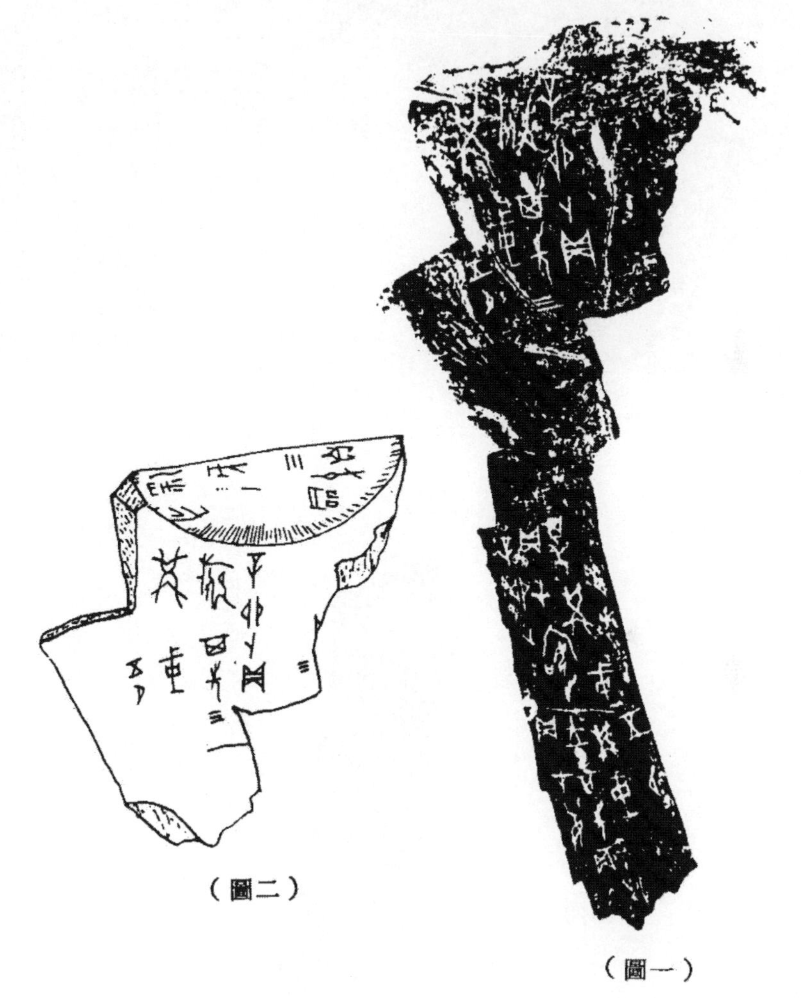

（圖二）

（圖一）

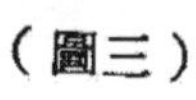

（圖三）

（圖四）

簡釋墨經中的形學數則

一、中國古代的科學及其衰落的原因

中國的學術，在兩千四百多年前的春秋戰國時，已經達到了極盛的階段，無論哲學、科學，都有極高的成就。所可惜的是有些學術，尤其是科學，至今已殘存而不顯，有的甚至失傳了。失傳原因當然很多，一方面是當時智識水準或許是相當高，像那些實用科學，已成為生活上普通的常識，故無須著之於書，詳為解說。或者是受了社會潮流的影響，有識之士，終日都在討論人與人之間的問題，雖然春秋戰國，百家爭鳴，眾說蜂起，而成家立說的，不是禮就是法，不是道就是德。雖是「言」人人殊，而其最終目的，總離不開人本身的行為心性。孔子言仁，孟子說義，老子講道，莊子談逍遙、養生，荀子倡禮重樂，無不是人本位的理論、哲學。有人說，中國也許因為人口太密了，整天都在人堆裏轉，所以文化學術上，最大的成就，卻是倫理問題，雖然他們的生活中離不開物界，但很少有人撇開行為問題，而去專門從事有系統的自然現象的有秩序的學術知識，即使他們曾經從事此項研究，卻甚少把他們觀察所得，以及對自然現象所得的關係、觀念，有條理地筆之於書，公諸世人。

當然，在那時的賢哲之士，不乏以科學名聞於世的，如公輸般等。可是傳統的社會，始終把他們擱置在不登至道的工匠之流。歷來雖有司工之官，而他們只是適應人們生活的需要，盡其大匠之能而已，即使有創獲發明，也無法演繹成有系統的學說。如有，那也只是附之於其他學說，成為末道。那時的科學家、發明家，既是眾人的工匠，他們的社會地位自然無法提高，加之世風所向，人人傾心於王佐之道，濟世之方，品物之知不屑為，變化之源不屑求，因此，科學一道，淪為技藝，且成為世傳職業，久而久之，發明，（創）物的原理失傳了，變成了「知其然而不知其所以然」，由學識而淪為技術，因此造成良冶之子必先學綴裘，良弓之子必先學製箕。天象曆算，附會到神鬼之說；音樂律呂，也配上了陰陽四時；冶鍊之術，淪於丹方；醫治之道，合於巫蠱；陰陽五行神鬼之說，也實是後世科學發展成有系統學說的一大障礙。

不管社會風尚如何，以及矇蔽真知的迷信俗習如何，歷代才智之士，仍有不少埋頭鑽研自然科學的！因此，實際上中國那個時期的科學，並未因各種的阻力而中斷，反之，卻更發達。這個現象，可從《墨子》一書中，得到證明，墨經中有力學、光學、幾何學、算學……而且如《孟子》，《莊》《荀》等書中，也可發現零星的形學、算學問題，只可惜當時這些沒有成為專門學說，故無專書傳世，而孔子所行的六藝教育中，即有「數」的一科，由此可佐證當時科學知識的不貧乏。

翻尋古籍中，純自然科學的專著，可說是絕無僅有，縱然有的，大多都是曆算之書；曆法，在我國自古至今，是自成一系統的，這是託福於我們傳統生活——農業的需要，歷代均極重視，而由曆法卻促進了算學。我們的傳統算學，不是天文曆數，便是測量問題，而且多半只是講方法而不談原理，更少純數學問題或形學問題。《周髀算經》雖已發明了勾三、股四、經隅五的定理，可是我們的祖先，講求信用，先哲的吉光片羽，乏人來克紹箕裘，而把它們演繹成專門學說，所以知之則可，合用即得，甚少作理論上的探討。因此首創者固非易易，而發揚者更是寥寥。湮沒至今，終於知之者鮮，而使千古寶貴的發明，創獲，徒成具文。加之近世歐西科學突飛猛進，我們因不幸而處於積弱的境地，有識之士，急於迎頭趕上。大量吸收歐西學說，久而久之，我們固有的科學舊知，便無人道及。今日誰不知畢氏定理？可是我們有幾個提到周髀之說的？因此有人說了：「中國是談不上科學的」！「中國壓根兒就沒有過科學」，這話讓今日中國的年青人聽了，答案是點頭稱是，連臉也不會紅一紅。因此我們也難怪英國劍橋大學的丹丕爾．惠商教授，在他的《科學史及其與哲學宗教的關係》一書中說：「因為古代科學發達於中國的主張，還知道的很少，我們需要考慮的上古時代的國家，只有印度了……」

時至今日，我們只有自己認作是文明古國，可是人家寫世界通史，連我們的五千年歷史，都要打個六折。當然，今日時代青年，固不該坐在紀念碑前作夢，也不該「抱殘守闕」捨不得那些老古董，可是我們也不能完全忘了自己，拋了那先聖先賢心血結晶的「敝帚」於不顧吧！

二、墨經中的形學問題簡釋：

讀到《墨子》，除了佩服他的偉大精神之外，更佩服他的學識，《中庸》中所謂：「博學之，審問之，慎思之，明辨之，篤行之」的精神，孔子而後，恐怕真正合於上說的，只有墨子了！關於他的思想、學說，自晉魯勝註墨辯之後，幾乎絕傳，唐韓愈而後，漸受世人注意。但此書由於歷代傳鈔之訛，加之失傳已久，語多古奧難解，且有不少古字殘存，今日讀來，實感費力。而墨經中涉及科學，名學的問題甚多，其中有關形學的，約有二十條左右，可惜我國並無有系統的幾何學古籍可資參考，因此墨經中許多幾何學上的名詞，那就只有運用今日的幾何學新知識，證以古訓，來作一嘗試探討。雖說以新知肊古訓有乖求是的原則，然而一些形上學的基本定理，古今畢竟是相差無幾的。而且這也不過是繼先輩的餘緒，加以引證說明而已，並且自知才能淺薄，不敢擅立異說，前賢是者從之，有可疑不能決者，寧效蓋闕之訓，且今日之是，焉知非明日之非呢？我只想藉此機會，拋磚引玉，使有志者，共作研究，俾此一千古寶典，得能傳世而不替。

關於墨經，有謂是別墨之作，在此我不敢多加辯說，今以黃建中先生說為證：黃先生曰：「《墨子》書除〈親士〉以下七篇及〈非儒〉篇為偽作外，當分經、辯、論三部，經上下，經說上下四編為墨經，殆說書之墨所撰輯，而經上不獨無子墨子之稱，並無說在云云，度蚤經墨翟手定……」。今所輯釋各條，均在經上篇中，所以我們可以算他是墨子的學說。

墨經中涉及幾何學，淺而可解的有十六條，今依次釋之如下：

1.經上：體，分於兼也。

經說上：體，若二之一，尺之端也。

釋經：體：廣韵：「體：四支也」。《穀梁》昭公十五年傳：「大夫國體也」注：「君之卿佐是謂股肱，故曰國體。」又《周禮．天官．序官》「體國經野」注：「體猶分也。」兼：《說文》：「兼，并也，从又持秝」。《易．繫辭》：「兼三才而兩之」。是體指部分，而兼指全量。本經是說：「分量是全量中分出部份」。

釋說：尺：此字各書皆釋度量中尺寸之尺，而墨經中之尺字，是即幾何學上「線」之名，說見後第十條。端：《說文》：「端，直也。从立耑聲」。《孟子》「惻隱之心，仁之端也」注：「端者首也」。古文作「耑」，《廣雅．釋詁一》：「耑，末也」。此字與點同舌頭音端母，當是點字之假借。點：《說文》「小黑也」。故「末也」，「小黑也」，都是指形狀之小者。

此說釋經，說分量好比一加一成二（全量）中的「一」，也好此集點成線的線中之「點」。

2.經上：平，同高也。

經說上：無

釋經：平：此平與另一條：「平，知無欲惡也」的平字不同，那是指人心性淡然的平，此是指形狀上的平。《玉篇》：「平，齊等也」。《韻會》：「平，均也」。高：《說文》：「高，崇也」。《周禮》〈淩人〉注釋文：「度高下曰高」。

本經是說：「平者，是其高度相齊等也」。

釋說：因經文甚簡明，故無說。

3. 經上：中，同長也。

經說上：心中，自是往相若也。

釋經：中：《列子．力命》：「得亦中，亡亦中」釋文：「中，半也」。《周禮．考工記．弓人》「斲摯必中」注：「中猶均也」。此即中分，中點之中。長：《說文》釋為久遠之意，而經典多借下裳之「常」字為長短度量之長，如《周禮．考工記．總目》：「八尺曰尋，倍尋曰常」，而孟子：「布帛長短同」之長，是得其正誼。

本經是說：以線段言，則中點中分此線段為二等分，而此二等分是同長也。

釋說：心中：中是標牒字，當居首，依譚戒甫說，當為中，心連下讀。中：《詩關雎．序》：「情動於中」注：「中謂中心」。若：《呂氏春秋．壅塞篇》「夫登一山而視牛若羊」注：「若猶如也」。如說則更舉圓心之例，以釋中點，說圓之中是圓心，由圓心到圓周，處處相等，所以圓心也是形學的中點。

4. 經上：厚，有所大也。

經說上：厚，惟無所大

釋經：厚：《說文》：「厚，山陵之厚也」。又《國語．魯語》「不厚其棟」注：「厚，大也」。此厚字對物言，是指其體積，如厚之與薄，即言其體積之大小。蓋長短指度量，輕重指重量，而大小則是指體積，故墨經以形容體積大小之「厚」來作為體積之命稱。

本經是說體積是有大小的。

釋說：「厚惟無所大」，此說似有《說文》，各家之說，皆欠允當，今依高晉生《說補》增為：「厚，惟無厚無所大」。蓋謂：如無體積，則無法言物體之大小。

5. 經上：直，參也。

經說上：無。

釋經：直：《說文》：「直，正見也」。《周書．謚法》「剛疆理直曰武」注：「直，無曲也」。又《玉篇》：「直，不曲也」。參：《管子．君臣上》「若望參表」注：「參表謂立表所以參驗曲直」。亦即《莊子》：「以參為驗」之意。

孫貽讓引陳澧云：「此即海島算經所謂後表與前表參相直也」。按《海島算經》：「今有望海島立兩表，齊高三丈，前後相距千步，今後表與前表參相直，從前表卻行百二十三步，人目著地，取望島峯，與表末參合……」。蓋此為取直之法也，今日步槍射擊瞄準，仍取此法：以標尺缺口，準星尖，目標三者在一直線上，故本經云：欲取對目標物之直線，必須立表，三者參合，方得其直。

釋說：此蓋為最通常實用之測量方法，故無說。

6. 經上：圜，一中同長也。

經說上：圜，規寫攴（交）也。

釋經：圜：說文：「圜，天體也；周也」。《周禮・考工記》「輿人為車，圜者中規，方者中矩」。《韻會》：「古方圓之圓皆作圜，今皆作圓」。中：為圓心，說見前第三條。

本經是說圓的定理，蓋一圓只有一圓心，由圓心至圓周的距離（即半徑），其長皆相等。

釋說：規：《玉篇》：「規，正圜之器也」。《孟子・離婁》：「不以規矩，不能成方圓」。是規即作圓之器也，今人猶稱「圓規」。寫交：孫貽讓謂：「寫謂圖畫其象，《周髀算經》云：『笠以寫天』趙爽注：『寫猶象也』攴，吳鈔本作支，下同文，支義並未詳，疑當為交之誤」。今依其說作「寫交」。寫字本義為除去之意，《詩・泉水》，「以寫我憂」傳：「寫，除也」，後世則借為書畫之寫。

此說謂：「圓是由圓規畫交而成的」。

7.經上：方，柱隅四讙也。

經說上：上，矩見攴也。

釋經：方：《廣雅．釋詁》：「方，正也」。柱，《說文》：「柱，楹也」。高晉生謂即幾何學所謂邊也。隅：《論語》：「舉一隅不以三隅反」皇疏：「隅，角也」。《周髀算經》：「勾三、股四、徑隅五」注：「隅，角也」。讙字在此意不可通，據欒調甫曰：「讙讀為權」。按《周禮．考工記．弓人》「角正幹權」注：「權，平也」。平有齊等之義。

本經是說方是四邊相等，四角相等的。

釋說：矩：《荀子．不苟篇》「五寸之矩，盡天下之方也」注：「矩，正方之器也」。《史記．禮書》：「規矩誠錯」索隱：「矩，曲尺也」。見攴：依　孫貽讓說，當為「寫交」之誤。

此說蓋謂方形是由曲尺畫交而成的。

8.經上：端，體之無序而最前者。

經說上：端是無同也。

釋經：端即幾何學上所謂之點也。說見前第一條。體是部分之意，說亦見前第一條。序：

王引之云：「序當為厚，經說上云：『端、仳、兩有端而后可，次、無厚而后可』，是其證也」。此厚即厚薄大小體積之厚。

本經是說點在幾何圖形中，無長短、寬厚、大小可言的最前之形。如積點成線，則有長短；積線成面，則有寬窄；積面成體，則有厚薄大小，唯有點，沒有厚薄，寬窄和長短，它只有位置。在幾何學上，點為一切形之始。

釋說：「是無同也」；高晉生謂：「同上當有不字轉寫誤脫。」本說是說點既無大小、長短、寬窄，則所有的點，均盡相同，故點無有不相同的。

9. 經上：有閒，中也。

經說上：有閒謂夾之者也。

釋經：閒：說文：「閒，隙也」徐鍇曰：「門夜閉，閉而見月光，是有閒隙也」。《前漢．高帝紀》「步從閒道走軍」注：「閒，空也，投空隙而從，不公顯也」。

本經是說：「所謂有空隙，是指二物之中也」。

釋說：有空隙是說有不相切依的二體，夾著的那中空之處。這是對閒隙條件的界說。

10. 經上：間，不及旁也。

經說上：間，謂夾者也，尺前於區穴而後於端，不夾於端與區內，及，及非齊之及也。

釋經：間即間隙，二物中空之處也，說見上條。在形狀上說，於二物體之間，我們如果說這「間」時，只是指這被二體所夾的中間部份，是不可涉及夾之而后才有「間」的二物體。

釋說：尺即幾何學上的線。區穴：梁啟超謂：「穴字疑衍，蓋涉下文內字，既複而又誤也」。區：《文選》〈東京賦〉「目察區陬」薛注：「區陬：隅陬之間也」。是即指二線所夾之角之中空處。按幾何學上二線即可構成面。又區有區域之意，故墨家設為面之指稱詞。

此蓋說明間隙是被夾之中空處，依名次而言，則幾何學上點先于線，線先于面，故云「尺前於區，而後於端」，是線在點與面之中間，可是以形狀而言，則線可不是夾在點與面之中的間。下文「及，及非齊之及也」一句疑有訛舛，有不可解，各家解說，均與經之標牒之旨不合，今姑從闕。

11. 經上：纑，間虛也。

經上說：纑間虛也者，兩木之間，謂其無木者也。

釋經：纑：陶鴻慶謂：纑為臚字之借字，臚籀文作膚。廣雅：『膚，離也。』」

本經蓋說距離是指二物中間之空處而言。

釋說：此復舉算學上之測量法為例，謂立兩木，而二木之間中空之處，即是距離。亦即《海島算經》中之「表間」也。

12. 經上：攖，相得也。

經說上：攖：尺與尺俱不盡，端與端俱盡，尺與或盡或不盡，堅白之攖相盡，體攖不相盡，端。

釋經：攖：《莊子》〈大宗師〉：「其名為攖寧」釋文引崔注：「攖有所繫著也」。又《莊子》〈庚桑楚〉「不以人物利害相攖」釋文引崔注：「攖猶貫也」。此繫著，相「貫」，即幾何學上之相交也。本經謂二者相交是相得也。

釋說：尺者線也。二線相交只有交點處相得，因線有長短，故相交不能盡合也。可是點無不同，故點相交，則可重合相盡了。又最後之一「端」字，孫詒讓謂「疑即上尺與端之挩字，錯著於此」。則「尺與端或盡或不盡」，是說線與點相交，對積點而成的線而言，它本身含點，故點與之相交，則點盡合於線；可是線有長短，與點相交，則點不能盡含此線，故不相盡。又舉具性堅色白之石而言，是堅與白同交得於石，故此石有白處即有堅在，有堅處即有白存，是堅白之交俱相盡矣。又舉二體而言，二體相交，蓋體由面構成，其相交則僅是某一面或某一線某一點相交，實非全體，故不相盡也。

13. 經上：似，有以相攖，有不相攖也。

經說上，仳，兩有端而后可。

釋經：似：孫詒讓謂：「當依說作仳，形近而誤」。仳：通比。比《周禮·大胥》「比樂官」注：「比猶較也」。攖：交也，說見前條。以：用也。

本經謂較兩線段長短之法有二，一種是二線段之一端相交，以交點為圓心，短者之長為半徑，作弧，與長者截交於一點，其截點外之線段，即為二者所比之餘差。此是用相交之法；又將二線平行，將其同向之一端平齊，由短者之另一端，向長者作垂線交於一點，其點外部份，即為二者所比之餘差。此是二線不須交及相較之法。

釋說：端是點。此是因經再進一步說明線段比較之條件：謂兩線段相比時，必須要有定點，或是二端相交，或是二端平齊，方可作比較，才能有結果。

14. 經上：次，無間而不攖攖也。

經說上：次，無厚而后可。

釋經：次：《廣雅》釋詁三近也。又《左傳》僖公十九年傳注：「水次有妖神」疏：「次謂水旁也」。次當即幾何學之「相切」也。按《廣雅》釋詁三：亦訓近也。攖攖：孫詒讓云：「攖攖當作相攖」。

本經是說點、線、面相切時是二者密接，中無閒隙，但二者並不相交。

釋說：厚是體積，說已見前。此是說相切的條件，只限於形學上的點、線、面三者，而無兩體相切的情事。蓋兩體密接相依，只是某點、某面，某線相切，並非全體相切，故說相切要除去體積而后可言。

15. 經上：損，偏去也。

經說上：損，偏去也者，兼之體也，其體或去或存，謂其存者損。

釋經《說文》：「損，減也，从手員聲」《廣雅・釋詁二》：「損，減也」。偏：《左傳・成公十五年》傳「桓氏雖亡必偏」注：「偏，不盡也」。

本經是說減是減去部份，因非將全量盡除去，故說是偏去。

釋說：減是從全量中減去部份，減去的一部份是去，而餘留的部分是存。若以其餘存的部分，與其原有的全量相比，則是已有虧損了，所以損是對餘存的部分而言。

16. 經上：大益。

經說上：無。

釋經：本經有挩誤，伍非百云：「大益當作益大也」益：《說文》「益，饒也」，《易・益卦》「益，利有攸往」疏：「盡者增足之名」，《國語・周語》「而益之以怨」注：「益猶加也」。

本經與上條言損之義相對，此言「加」之意，蓋加則其量多矣大矣，故曰：「益大也」。

釋說：因其義甚簡，故無說。

以上十六條，大致可歸納得墨經中形學名詞十數事，今特臚列於下：

1. 端—點　2. 尺—線　3. 區—面　4. 厚—體　5. 柱—邊

6. 隅—角　7. 攖—交　8. 次—切　9. 同—等　10. 損—減

11. 益—加　12. 仳—比較　13. 兼—全量　14. 體—分量

墨經中有關形學者，尚不止此數條，或前賢之釋，其理不能自足，或經文字句有舛挩，學力所限，有待廣識之士，予以闡說。

（原載於　民族正氣第一期，1959．08，頁9-12）

中文大辭典修訂工作雜述

記得民國五十一年，曉公師創辦中國文化研究所，我們第一屆研究生，在當年十一月廿四日開學時，是借住在陽明山莊，第二年三月，大成館落成，於是我們住進大成館。五十二年秋天，先師景伊公那時兼任中文大辭典主委，我們也參加了一段編稿工作，但當時由於經費不足，加上事事求人，在在需錢，工作時作時輟，到了五十三年，出到第十冊，全部工作幾乎停頓了，只看見一些編纂委員及工作人員開會、爭論、索錢，那時總幹事是曾迺碩先生，遇到困難，也無法解決，只有徒呼奈何，但最堅持工作的還是創辦人和景伊師。

五十三年夏天，我們畢業了，我因第一名被聘為學校董事，一度負責財務；是年冬天，創辦人便把編印中文大辭典的責任，交給我們文學門畢業的同學，幸好那時先總統　蔣公關懷和重視這一件有意義的文化工作，特別批准每月有四萬元國防研究院的合作經費，當時我們公推已故之許慈多學長來主持，從頭整頓，開始請大學部部份的同學來參加工讀，同時也把工作場所定在大仁館左後角底樓僻靜處。但是問題來了，大家都沒有編字典的經驗，再加上前後編者不相連接，稿件、工作程序甚至在職人員的工作分配等，都顯得茫無頭緒（他們也不合作），不知從何下手，可是辭典已經接受了人家的預約有三百部之多。豈能不出書？我們只好咬緊牙關，勉力支持，到了要將第十一冊清稿時，才發現中文大辭典的編和印，都是異常困難和艱苦的，編稿工作不談，光是排印成書，其間甘苦，絕非未嘗身親其事者，所能備知！

原稿送進工廠，排成條樣，三校以後組成版面，五校以後打機樣，開始「手工」製作；臺灣從來沒有一副銅模是超過兩萬字的，我們有一專用排字工廠，兩架鑄字機，一付大陸帶來的老銅模，應付二十幾位檢字、拼版工人，天天要發稿；不發，工人就來吵著討工資，山上編委們每天要六次發稿，原稿初二三編，工作量之重，連查書校對都來不及，整天急如救火，山下二十餘人「吃稿」②，山上二十餘人審稿，三十多人校稿，四十人做手工剪貼，（至少有五分之一的本文小字及全部字頭、索引字表、字形、圖片，全是用人工貼的。）所以它的成書，是活版、手工藝，和再照像、平版印刷。一本書的出版，使一百多位工作同仁折騰得人困馬疲。待第十一冊稿子好了，送到台北，走遍萬華的印刷廠，沒有一家肯接印的！因為大家對華岡已有了戒心！——拖債不還。一邊是創辦人等著拿書要呈給　總統，一邊，是說好說歹，費盡脣舌、折盡腰支也不肯接印，最後把現款擺在桌上，再找人擔保，總算出了第十一冊，而慈多兄也已弄得雙眼紅腫，神經衰弱，患了嚴重的失眠症。於是這個擔子就不得不交付我來挑了！

有一天，我走進辦公室，覺得氣氛不對，大家面色凝重，一問之下，才知道由於原經手人已經辭去，原稿經過七次大搬家而遺失了不少，一大段稿子不見了。如此，將如何編呢？將如何發排呢？大家都慌了！對外來說，催討書的信天都有；原任編纂的委員又覺得我們程度不夠，鬧著要申明「脫離關係」，以免誤了他們的學術清譽，出版部又鬧著要拿走所出的書以及所有經費，名之曰「統籌統支」！此時的我才真正領略到「萬事相迫」的滋味，曾經有排字工人，手執利斧等在山仔后威脅說：「再不發工資，咱們就別下山了！」一位管發行的學姐對我說，別幹了，再幹不但不是人，連小命兒都沒了！然而文化學院剛創辦，大家抱著對未來的無窮希望，豈可如此有始無終？於是上山向曉師報告事態嚴重的實情，而曉師也深知我們有信心，肯擔當，便勉勵一番，命我全權負責，從頭策劃，清點資料，建立基本卡片，准許我們獨立獨營，准許我們購買基本參考書，准許增加工讀生，這樣才讓每每伏案飲泣的大孩子們，從徬徨中站起來，整理稿件，添補缺漏。

記得當時我拿的是一份中文系講師薪水，教十堂課，然後從早上八點走進辦公室，深夜兩點回家，那種華岡深宵的風雨，誰曾領略過？記得有一次颱風，全部人員都已下班，我幾乎是從華岡新村爬到大仁館的，剛好創辦人車子也到，感動得他老人家決心搭建各樓之間的天橋，這件事誰能知道？又有誰能體會創辦人對華岡子弟的愛護？

談起中文大辭典，那真是「十年辛苦不尋常」。每次遇到挫折，總是下山去找景伊師，要求辭去職務，而景伊師都總是溫言相勸，慰勉有加，感動之餘，也只好擦乾眼淚繼續奮鬥！同學們都是三十來歲的人，誰都自信前途光明，誰願意去當那種令人心神交悴的單位主管？大家都怨聲載道！可是快樂也好，痛苦也好，總算讓我們死裏求生，千難萬難地完成了它，據景伊師告訴我，從前曉師自己主持時，每週開會，每週吵架，他頭痛極了！但自從交給我，他十分放心，除了來巡視辦公室，以及每冊簽字付印之外，從不煩神，眼看辭典快要完成時，他有一晚陪景伊師喝了五杯紹興酒，談到半夜華岡的建校計劃和人才的培養。很興奮地說：「書生建校，成功有望了！」

中文大辭典的初編，主要的意義，並不表示學術上有甚麼輝煌成就，它所代表的只是師友之間，患難相共，辛苦共嘗，同肩重擔，同任重責的一種奮鬥精神。我們可以從無變有，從有變好！所以當中文大辭典完工之後，曉峯師一直要我籌劃進行修訂，替華岡學術奠一基石，我則堅持要訓練人才，確立規模，作長期打算，一部夠水準的工具書，是要細琢慢磨的，第一版中文大辭典便是由於倉促成書，而使得內容有欠精確。

曉師又囑令我縮編大學字典，他要我以中文大辭典為基礎，而我卻要求要修訂大辭典，不妨藉編大學字典來培養人才。一年時間，我們編了一部《大學字典》，其間也花了不少心血，在選字③，選例句，注音，編排上我們都用了心，例證都是直接用原始資料。有一次曉師拿著大學字典對我說：「這本字典編得很好！尤其例句都很用心，可惜有錯字。」其實這一些小錯也是為了趕時間所造成的。記得為了趕在　總統華誕當天出版，我在辦公室四天四夜未曾闔眼，送稿給我看的同學，站在牆角邊就睡著了！其間辛苦可知，這些學生（像鄭阿財、曾榮汾、許學仁等）而今已都是文學博士大學教授了！

七十一年，景伊師又告訴我：「曉師要重修中文大辭典，我們都老了，由你來主持吧！你要好好做，不要辜負創辦人對你的期望。」我祇說，如果我有「道德勇氣和學術良心」，站在華岡人的立場，我答應。但是瞭解學校作事的經濟條件來說，我寧可老死，也不要玷污這本足以代表華岡學術成就的神聖辭典，因為：第一它必須澈底擺脫早年抄襲大漢和的恥辱；第二必須表現華岡創校二十多年來，在學術能力上，是可自己編一部比大漢和更好的的新版《中文大辭典》！但第一要金錢支援，第二要行政支援，第三要充裕的時間和人力，第四要獨立工作不受到任何外界的干擾，並且一定要尊重主編的決定和意志。這一些問題景伊師跟創辦人商量，當時創辦人一口就完全答應了下來！

從七十一年七月開始工作，古人常說：「士為知己者用」！感謝曉峯師的知遇，我縱然愚騃，又何敢不肝腦塗地全力為之？兩年之間，籌謀策劃，如何化腐朽為神奇，如何竭志盡慮，如何量入為出，如何使那群年輕而又玩心尚重的孩子們變成懂辭典愛辭典的專業人才，如何在黑暗中摸索出最經濟而有效的工作流程，任何一件事，總是把金錢、人工、時間、所得效益……全都算進去，還怕別人笑我們亂搞一通，我們定了全書編纂體例，每次工作檢討有詳細工作內容分析和評估，作成記錄，可是這時景伊師已病重住院，不能再像從前那樣支持和鼓勵我了，尤其不幸地，我們在有限的經費下努力掙扎，希望及早出書，而景伊師竟於去年六月八日凌晨拋開我們，也放棄了督導中文大辭典的修訂工作，當時，我也真萬念俱灰，從上大學就跟林老師，二十多年的師生，他從未對我疾言厲色過，我也絲毫不敢馬虎，庶免殞越，無論他交待什麼，總是盡力去作好，尤其中文大辭典，可以說是景伊師和曉公師苦心遠志之相契合的產物，在做學生弟子的我來說，也應抱持「善繼人之志，善述人之事！」的態度好好工作，完成老師們所託付的重任，然而自古好事多磨，學校經費短絀，辭典工作陷於停頓，而主事者亦由於欠缺金錢，遂致進退無主，唯知命令本人重作「修訂計劃」，此文便是奉命重新修訂計劃的工作報告，提出至今，時逾五月，猶未敢批之曰：「可行」或「不可行」，但以推拖為得計，眼看即將前功盡棄，令人浩歎，中夜回想，這一段辭典因緣，都是從景伊師身上起的，現在景伊師逝世已屆週年，由於大辭典的成敗時縈懷抱，我幾乎每夜都夢到他老人家，坐在五股山頭，遙望著華岡，希望我這笨學生能作好這件修訂工作，別讓後人老是借它寫文章④，既賺稿費又罵他老人家，想想就拿這篇工作報告交給木鐸，權做個懷念恩師逝世週年紀念文吧！

中華民國七十三年五月二日凌晨三時於傍南山居　仰觀堂

【附註】

① 許慈多：為我大學及研究所同學，為人正直木訥，作事認真負責，但不喜與人爭，負責大辭典工作為時一年，我則負責學校董事會、兼人事、財務，整天在外跑支票軋頭寸，後因華岡人事紛雜，葉霞翟老師主持省立臺北師專，慈多隨往任秘書，亦未完成博士班學業，不數年，許兄因舌癌過世。

②吃稿：因為排字工廠二十餘人，每天須發大量稿件去排，才能達到基本工資的定量，日逐需求大量字典原稿，同仁們稱之為「吃稿」。

③選字：中文大辭典共收四萬九千九百零五字，要選若干字編一本大學字典，選多少字，選那些字，這是煞費斟酌的！於是我想出一個笨法子，將大辭典四萬九千多字排成字表，再從坊間搜集各種大小字辭典三十餘種，如辭源、辭海、辭彙、王雲五小字典、學生小字典等，把它們的字頭分列在大辭典字頭之下，作成一大字表，出現頻率高者，為選字依據，共選出九千餘字，此字表後來又為師大國文所為教育部國民常用字選字的基本資料，在此不得不贅上一筆，後來教育部的常用國字，標準字體等跟此字表有莫大關係。

④借它寫文章：曉公要我從事修訂中文大辭典工作時，大陸方面從六十五年開始修漢語大詞典，六十四年開始大詞典編纂工作，為了吸取經驗，對岸也利用中文大辭典內容作檢討，在《詞書研究》各期中，陸續發表了不少對中文大辭典跟大漢和犯同樣錯誤的文章，然而在討論中文大辭典修訂工作會上，林老師的同門，偉大的漢學家竟無視於那些批評文章，竟說：「原本甚好，修訂是多餘的！」來阻止此修訂工作，其時曉峯師躺在榮總病床上，尚未仙逝，他的志業已經遭到兒孫、朋友、同志、學生的拆台了！令人十分感慨。

雙漸與蘇卿故事考

中央圖書館（今：國家圖書館）漢學研究中心（明代戲曲小說國際研討會）

一、前言

雙漸與蘇卿的戀愛故事，在宋、元之際非常流行，其被人熟悉及傳誦的程度，幾乎超過了《西廂記》、《東墻記》、《百花亭》、《曲江池》等文士妓女的變愛故事。只要一涉風月，每每提及；而至明代，初期仍是風月題材中的熱門話題，中期以後，逐漸為人淡忘，甚而因流傳較少，終於造成以訛傳訛，改變了故事中的情節及人物。而在元代由《西廂記》同一作者王實甫所寫的《蘇小卿月夜泛茶船》雜劇，只在《詞林摘艷》及《雍熙樂府》中保存了該劇一折，《雍熙》未注作者，如果《詞林摘艷》也沒繫上王實甫這三個字的話，這一折便成了無主的套數了！至明中葉以後，不見全本，而故事也產生了捕風捉影，似是而非的新劇，原故事遂漸隱晦，終致消失，十分可惜！

由於劇本之不存，民國以來，一些關心此故事的曲學家，或從散曲、套數中涉及雙漸蘇卿者；

或從曲錄、曲目、大略探知蘇卿故事者；或從曲譜輯出殘曲以追溯其在南戲、北劇之片段者；然而由於劇本不全，因此所述故事各節，都有點似是而非不能得其詳。更由於早年資料不全，孤本難求，書籍不集中，只能從有限的元、明曲家作品中，揣測故事梗概，愈說愈覺模糊，不可理解，甚而張冠李戴，人事全非。此一戲曲文學中的公案，亟待釐清，而宋元以來此一典型戀愛故事，在元人作品中其面目如何？明代劇作家們又如何從一知半解，捕風捉影地另創新劇，終致使此一家喻戶曉的故事落得似是而非，最後煙銷雲散，頗堪探索。乃於讀曲之餘，作此添足之舉，從而藉此可以瞭解，戲劇創作，其本事並不受事實考據之囿。作者得一線索，即可自由揑合，附會人事，敷衍成篇，迄至粉墨登場。只須人物故事合情入理，人亦不暇推敲其事實究竟，然既已騰播市井之故事，何以先後事實有差距，好事者難免要打破砂鍋，一問真象。

二、前賢研究成果之敘述

1.民國十九年，任二北先生《作詞十法疏證》，在小令定格第三十首「凭闌人」章臺行：

花陣贏輸隨鏝生。桃扇炎涼逐世情，雙郎空藏瓶。小卿一塊冰。

疏證說：「此詞作者未詳，鏝，錢鈔也。小說演雙漸娶妓蘇卿，為茶商馮魁所奪，其事曲中各體皆有播詠。並常用雙漸代情場失意之腳色，此其例也。」（見《作詞十法疏證》頁七十）。趙景深《中國戲曲初考》頁一二七則說：「……曹聚仁錄本改名《元人曲論》，稱「宋」小說；叢刊本《作詞十法疏證》則只稱小說。如此說來，恐亦未見原書，故晚出的本子，將「宋」字刪去。這一條大約是第一次在近代曲學論著中提到「雙漸與蘇卿」。

其次任氏《曲諧》卷二頁六十三至六十八，王日華條，談到王曄和朱士凱的「雙漸小卿問答」，人多稱賞，起初任氏不知何指，及後見《樂府群玉》方知為演故事異調間列的小令。任氏並討論其必為一雜劇，及後又說：「自元以來，曲中播詠最盛者，有三大情史：㈠為普救西廂，㈠為天寶馬嵬，㈠則為豫章茶船也。《西廂》極於王、關，馬嵬盛於稗畦，人所共知，茶船則其事其文，都不顯著，然諸宮調則有張五牛、商正叔之雙漸小青，北雜劇則有庾天錫之《蘇小青麗春園》，王實甫之《蘇小卿月夜販茶船》，紀天祥之《信安王斷復販茶船》，南雜劇則有《蘇小卿月下販茶船》，不知南曲則有《風月所舉問汝陽記》，傳奇則有明王玉峯之《三生記》，萬曆間無名氏之《千里舟》、《趕蘇卿》等。散套則自周文質鬥鵪鶉一套詠小卿以後，載在《太平》、《雍熙》者，不下二三十套，小令則既有王氏此種問答體，其餘零星拈詠者亦可以不計矣。所謂三大情史者，在散曲中篇幅以「馬嵬」最多，而體格之新，則「西廂」有摘翠百詠，茶船有茲篇問答，皆極為名貴者也。」任氏之說，雖未達精審，然其中已觸及問題大部份，其中僅《汝陽記》一名不見其他曲目。其所舉例證數字，據今所考已溢出甚多，後文述及，此不贅。

2.另一位早期提出雙漸故事的是一九三〇年趙萬里先生在《北平圖書館月刊》二卷一號，發表了「水滸傳雙漸趕蘇卿故事考」。趙文內容，後來大致均被趙景深一九三三年在《現代》四卷一號的「雙漸和蘇卿」一文所網羅。不過《水滸傳》的百二十回本和七十回本略有不同，百二十回本有一段從雷橫眼中去描繪白秀英的色藝雙絕的四六駢語，但七十回本沒有四六，卻在白秀英上台拍下一聲界方，有四句七言定場詩；貫華堂本並在「那白秀英道：今日秀英招牌上，明寫著這場話本，是一段風流蘊藉的格範，喚做《豫章城雙漸趕蘇卿》。」底下金聖歎批曰：「我未見其書，只是題目，已文妙無雙矣！」他在卷五十五，第五十回回目下的總評說：「豫章城『雙漸趕蘇卿』妙絕處正在只標題目，便使後人讀之如水中花影，簾裏美人，意中早已分明，眼底正自分明不出。若使當時真盡說出，亦復何味耶？」聖歎固未見其書，卻以花影美人譬喻之，也真是妙絕！文人究竟不是考據家，實話實說便了！到了乾隆四十四年（一七七九）太倉程穆衡的《水滸傳注略》則於「雙漸趕蘇卿」下注引《錄鬼簿》王曄條文，並謂「知斯為宋時大劇」。趙氏是從《水滸傳》所引而作考求。程氏亦肯定「雙漸趕蘇卿」為宋時大劇，則頗有見地。

3. 一九三三年夏，趙景深先生從任編《散曲叢刊》中發現元人套數和小令，談到雙漸和蘇卿戀愛的故事很多，不亞於張君瑞和鶯鶯，但故事來源卻不曾找到，不過《販茶船》的曲文卻從《北詞廣正譜》知道越調鬥鵪鶉一支是王實甫《販茶船》雜劇裏的。但他當時並未見到《雍熙樂府》，故不知全套；然已見王曄的「黃肇退狀」無名氏正宮〈月照庭〉「老足秋容」套，得知故事梗概。又於《陽春白雪後集》見到黃鐘「願成雙鴛鴦對套」等，更能進一步瞭解。同時又見到趙萬里的文章，二者並無出入，並由趙文得知《盛世新聲》所收《販茶船》劇套和宋方壺、無名氏、白樸等套數，及劉庭信小令，得知趙文所用資料為《雍熙》及《盛世》。同時也在梅禹金編的《青泥蓮花記》中找到蘇小卿的故事，並其在金山寺所題之七言律詩一首，趙氏說：「這故事的轉變，仔細研究其先後，倒是極有趣的！我希望有人續作這個工夫，我這篇文章幾乎僅於是供給材料而已。」接著又從《太平樂府》、《小山樂府》，找到十九條資料，除掉趙萬里所舉八例之外，他共找到四十二條。趙氏此文，又收在他一九八三年中州書畫社出版的《中國戲曲初考》一書中，可見其未再續增資料。

4.一九三四年秋，錢南揚據《永樂大典目錄》、《南詞敘錄》、《宦門弟子錯立身》、《太霞新奏》等搜得南戲目二百零二本，成《宋元南戲百一錄》一書，據《永樂大典》卷一三九七五，戲文十一；《南詞敘錄》輯得《南詞定律》中載有《蘇小卿月夜泛茶船》曲文二支，為仙呂過曲〈胡女怨〉和雙調過曲〈孝順歌〉。錢氏以為二曲為雙漸趕小卿時所唱，並節引《青泥蓮花記》卷七「蘇小卿，廬州娼也……」註云：此外戲劇，金院本有《調雙漸》一本，見《輟耕錄》；元北劇有王實父《蘇小卿月夜泛茶船》一本，見《錄鬼簿》；明傳奇有無名氏《千里舟》一本，見《曲海總目》提要。

5.一九三四年十二月，鄭振鐸氏在《文學季刊》一卷四期發表：〈論元人所寫商人、士子、妓女間的三角戀愛劇〉一文，從史料及社會經濟狀況，以元雜劇、元散曲等材料來看元代社會，鄭氏從關漢卿的一本《趙盼兒風月救風塵》第一折賺煞中提到：「一個雙郎子弟，安排下金冠霞帔，卻只為三千茶引，嫁了馮魁。」鄭氏說：「不明明的說是和雙漸、蘇卿的故事相同麼？」所謂雙漸蘇卿的故事，曾盛行於元這一代，作為歌曲來唱者不下七八套（皆見《雍熙樂府》）。王實甫則寫了《蘇小卿月下販茶船》一本，張祿《詞林摘艷》存其一折（粉蝶兒套，大約是第二折吧）。其故事是：妓女蘇小卿喜書生雙漸，而漸則貧窮無力。有茶商馮魁者，攜二㈢千茶引發售，遇見小卿而悅之。即設計強娶了小卿到茶船上來。小卿終日在船無聊。後雙漸為臨川令，復將小卿奪了過來。鄭氏並引無名氏〈鬥鵪鶉趕蘇卿套〉曲文以為說明。

鄭氏以為：「這故事成了後來同型故事的範式，許多寫商人、士子、妓女間的三角戀者，均有意無意地受了這雙漸、蘇卿的故事的影響。」以下並舉：⑴「馬致遠的《江州司馬青衫淚》也便是雙漸、蘇卿故事的翻版之一。……⑵武漢臣的《李素蘭風月玉壺春》，也是可被放在這一類型裏的。……⑶無名氏的《逞風流王煥百花亭》，那故事正是連合了雙漸、蘇卿」和⑷《玉壺春》的。而情節更慘楚，遇合之際，更為嬌艷可喜。……元末明初賈仲名，有⑸《荊楚臣重對玉梳記》一劇，寫的也是「雙漸、蘇卿」型的故事。……石君寶的⑹《李亞仙詩酒曲江池》一類的雜劇，也可歸入這一行列裏。不過缺少了商人的一角，而露面者卻祇有鴇母的惡狠狠的面目耳。」這些劇中，除了《青衫淚》一劇外，《玉壺春》、《百花亭》、《玉梳記》、《曲江池》各劇中，均曾直接提到雙漸與蘇卿的故事情節，甚至鄭氏以為祇有存目劇本不見的《詩酒翫江樓》，不但《詞林摘艷》及《雍熙樂府》均同載有商調〈集賢賓〉「家住在碧澄澄綠楊官渡口」一折，而曲中〈浪來里煞〉正引著：「雙解元使的計策，蘇小卿中了機彀。……」鄭氏亦頗有見地，而一九三四年六月趙景深：〈元曲時代先考〉一文中，舉出王實甫《蘇小卿月夜販茶船》一本，有⑴關漢卿的《金線池》、⑵石君寶的《曲江池》、⑶李文蔚的《燕青博魚》、⑷武漢臣的《玉壺春》、⑸無名氏的《百花亭》、⑹關漢卿的《救風塵》六本，均在趕蘇卿之後，劇中引用雙漸、蘇卿及其故事情節。實際上元明人劇本中引用雙漸、蘇卿故事的戲劇，尚有很多，待後文討論。

6. 一九三五年冬。盧冀野於書肆得王思任女端淑所輯之《名媛詩緯》一書，明年取其第三十七、八雅集兩卷（實為散曲），校訂後交中華書局出版！題曰：《明代婦人散曲集》，並附其舊有《婦人曲話》十六則為附錄二，其第四條曰：「蘇小卿，盧州娼也，與書生雙漸交昵，情好甚篤。漸出久，久之不還，小卿守志待之，不與他狎。其母私與江右茶商馮魁定計，賣與之。小卿在茶船月夜彈琵琶甚怨；過金山寺，題詩於壁以示漸云：『憶昔當年拆鳳凰，至今消息兩茫茫。蓋棺不作橫金婦，入地當尋折桂郎。彭澤晚煙迷宿夢，瀟湘夜雨斷愁腸。新詩寫記金山寺，高掛雲帆上豫章。』漸後成名，經官論之，復還為夫婦。傳奇此亦談說家近俚俗，然元人善詠之，《販茶舡》、《金山寺》、《豫章城》雜劇，《仰山脞錄》：揚州李妙惠載其詩，為盧進士妻，未知何據？」這一段曲話，其中題詩，及末「為盧進士妻，此指李妙惠本人為盧進士妻，抑又有其他故事牽纏，盧冀野氏並未深考。此一問題可能為晚明婦人故事，今考《風月錦囊》中有盧川妻張氏「留題金山記」，故事不同，而題詩頗類，十分耐人尋味，容後文敘及。

7.一九三六年六月，由於《九宮正始》曲譜的發現，其中保存了一百多種所謂元傳奇的南戲，於是陸侃如、馮沅君利用它補輯前人未能輯得的南戲遺文。其中下卷輯得蘇小卿（馮魁）戲文十曲，與宋元南戲百一所輯有二曲重複，不再收錄，故僅列中呂過曲〈撲燈蛾〉等八曲，第一曲係雙漸初見小卿，第二曲敘二人歡聚賞春，三曲殘句，第四曲彈琵琶，第五曲亦敘賞春，第六曲敘賞冬雪，第七曲亦敘美景，第八曲則為雙漸別後杳無音信，小卿自怨；又百一錄二曲見《南詞定律》，《九宮正始》亦見，二曲均與蘇卿茶船上奏琵琶有關，茲不贅。

8.一九四〇年任二北先生繼《散曲叢刊》後，復輯元、明、清以來流傳之曲話曲韻，共三十四種，皆坊間《曲苑》未收者，彙稱《新曲苑》，其第三十四種為吳梅先生之《霜厓曲跋》三卷，卷一《香囊怨》跋云：「此劇述妓女守義，以一死報所歡，亦深得情之正者。……計所提劇目有二十八種……至《氣張飛》、《雙鬪醫》、《田真泣樹》，且不見各家著錄，是此劇於戲曲史上大有價值也！又《販茶船》為王實甫作，《進西施》、《鑿壁偷光》、《管寧割席》為關漢卿作；《東墻記》、《銀箏怨》為白仁甫作；《霸王別姬》為張時起作。此等劇詞亡佚已久，今劇中一一臚列，足徵明代宣、正間（宣德一四二六—一四三五；正統一四三六—一四四九）尚有流傳，而臧選不及，遂至泯沒，滋可惜矣！」瞿安先生以為自從萬曆四十四年（一六一六）臧晉叔刻元人百種，不及前輩舉諸劇，則認為《販茶船》等劇亡佚於此時，今從現存相關資料觀察，可能比吳先生所訂時間要早，大約周憲王《誠齋樂府》以後，《販茶船》雜劇便名存實亡。這一點可從

《風月錦囊》刊於嘉靖三十二年癸丑（一五五三），（留題金山記）已非原形，而早於臧選十幾年的萬曆三十年壬寅（一六〇二）刊印的《樂府紅珊》集，收有《茶船記》，不僅連雙漸的名字弄錯了，馮魁反而變成蘇小卿的老相好，更是差距太大，容後再敘。

9. 一九五五年，譚正璧《元曲六大家略傳》，王實甫名下，著錄《販茶船》一本，其敘論云：「馬廉《錄鬼薄新校注《販茶船》》：馮員外誤入神仙種；信安王斷沒「販茶船」。（案曹本作《蘇小郎月夜販茶船》，王本郎作卿，註云：卿原本作郎，從抄本。孟本作《販茶船》廉、纖韻。《太和正音譜》作：《販茶船》二本。《永樂大典》卷二〇七五五雜劇十九有目，作《蘇小卿雙漸販茶船》，紀君祥有此目。有《詞林摘艷》選中呂〈粉蝶兒〉套，《北詞廣正譜》選中呂調一首。）」案孟本所註「廉纖韻」，恐即《詞林》所錄〈粉蝶兒〉套，即廉纖韻，而《廣正》所錄，恐亦係取自《詞林》。譚氏引其所作：《永樂大典》所收宋元戲文三十三種考：《蘇小卿夜月販茶船》，此戲見《永樂大典》卷一萬三千九百七十五。原書已佚，僅《南詞定律》及《九宮正始》中尚存殘曲，作者亦無考。本書似脫胎於《白居易青衫淚》故事。與之同題材的，金代有院本《調雙漸》（見《輟耕錄》），諸宮調《雙漸趕蘇卿》（見《西廂記》諸宮調引），元雜劇有王德信《蘇小卿月夜販茶船》，庾天錫《蘇小卿麗春園》，紀君祥《信安王斷復販茶船》，佚名《豫章城人月兩團圓》，皆佚亡。……」以下錄《青泥蓮花記》卷七，文字同於前引《明代婦人散曲》之附錄，其中謂此故事脫胎於《白居易青衫淚》，此說可商，蓋與馬致遠同時之曲家如關漢卿、白樸、鄭光祖、盧摯等均有作品提到《雙漸與蘇卿》，且如《董解元西廂》、商正叔的散套「自從少個蘇卿」，楊西庵的散套「不是雙生自專」、王和卿的殘套「病懨懨」，都比馬致遠早。而且馬亦有（金山寺可觀大海），及（馮客蘇卿先配成）兩散套，敘雙漸蘇卿事，因此《販茶船》的形成經過，恐怕亦如《西廂記》，必是傳誦已久，方由王德信等改寫成雜劇。照常情判斷，雙漸諸宮調要比《青衫淚》早些，這一點大約是可以肯定的。

譚氏復引臧勵龢等所編的：《中國人名大辭典》：雙漸，宋無為人，慶曆進士，博學能文，知本軍，後知漢陽。為政和易，使民見思，有古循吏風。（案《中國人名大辭典》所收人名均不著出處，此不知其據何書。但據此可知雙漸實有其人，非作者憑空捏造。）以上譚氏已然覺得《販茶船》的主角是否確有其人，正史中不見其人，而在《中國人名大辭典》中找到一條無根的線索，但這一點已算是很有價值的收獲了！

接著譚氏據清黃文暘《曲海總目提要》卷十八，千里舟條：《千里舟》，明萬曆間人作。小說有雙漸趕茶船會蘇卿一段，元人劇中亦用此事。作者不見古本，乃據此揣摩敷衍。因神助舟行，一日千里，故名千里舟也，餘無所考。」以下摘錄提要，略云：「雙璧字藍田，江西南昌人，官卿貳，告歸林下，妻夏氏，子雙漸字雲鴻，年二十遊學金陵，父與銀五萬為貲，寓秦淮河；閒步桃葉渡，遇女蘇卿，相思致病。蘇卿者，廉訪蘇天挺之女，松江人，母亡，隨父之任陝西，渡河，天挺觸怒龍王，覆舟，父得救，赴任所；蘇卿為蘇媪所救，強以青樓事，不從，偽稱天挺已死，乃諉稱宦之妾，適雙漸囑幫閑柳奉卿、胡思傳求蘇媼，乃賃其園；蘇卿婢元霜得漸所贈詩扇，卿見扇，往雙漸書室，媼忽掩至，責以輕薄。經柳、胡串合，以二萬金入贅，雙漸知媼非生母，復向母索銀五萬，建園亭，置珠錦，復遣僕青湘回家索銀，父怒，欲往金陵責子，母命青湘速令雙漸遠避，蘇卿贈銀、衣別去；適江西茶商馮奎慕蘇卿，以二萬兩託柳胡二人說項，欲娶蘇卿為妾，媼貪利許之，設計使蘇卿登舟，即揚帆浦口，卿不從。而時蘇天挺已升浙江巡撫、雙璧升福建巡撫，雙漸狀元及第，請假返金陵，得知為馮商謀騙，鼓棹至金山，蘇卿先數日入寺祝告，留書寺僧，令與雙漸。漸得書，知蘇卿一至杭州即自盡，時已迫切，幸四金剛奉佛敕助之，一晝夜千里，遇茶船見蘇卿，侍婢以石投水，詭云卿自盡，馮商為巡撫差官提去，元霜具告前情，雙漸父子翁婿相會，茶商充軍。」

10.民國元年錢靜芳《小說叢考》之《千里舟傳奇》考謂：「嘗見樊山先生貨郎曲有云：蘇卿早日逢雙漸，掃地添香定不辭！」雙漸，典頗冷僻，余初不知其何自出也。及考《千里舟》院本，而始歎此老胸中，固無書不備者。《元人雜劇》本有《雙漸趕蘇卿》一齣，劇本久失，顧其崖略，後人猶得恍惚憶之，好事者乃憑空摸索，敷衍成書，且借隆、萬間有名人物，增入書中，謂是明季事實……實則驅李代桃。」……錢氏亦摘要《千里舟》情節，末則曰：「考明隆、萬間卿貳中人，無有名雙璧、蘇天挺者，為作者臆造無疑，惟敘秦淮名妓，引及馬湘蘭、名士則引及王鳳洲，此皆確有其人。馬湘蘭為萬曆初年金陵名妓，豪俠且有詩名。與蘇州老名士王穉登最善，嘗欲嫁之，賓白中所云王百穀者，即穉登也……然其結尾兩語云：『茶船久撥琵琶調，編出新詞逸韻飄。』則係舊事翻新，無可疑也。」錢氏此說，則較譚氏對《千里舟》與《販茶船》間故事之承襲與借用，已可謂涇清渭濁，十分明白。而譚氏則在末了云：「案雜劇內容當與此同。」可知譚氏於雙漸蘇卿故事仍未得其梗概也。

11.一九五六年十月，錢南揚氏成《宋元戲文輯佚》一書，並將《永樂大典》中三本戲文加以校釋。由《大典目錄》、《南詞敘錄》、《戲文曲詞》所引、《九宮正始》等共得一百六十七本，全佚者三十三本，有輯本者一百十九本。其《蘇小卿月夜泛茶船》戲文，即將《百一錄》及《拾遺》所輯十支曲文合於一處，並依其內容調整其次序，並於劇目中剔除庾天錫的《麗春園》一劇，餘無發明。

12.一九五六年趙景深成《元人雜劇鉤沉》，輯得元人雜刻佚本四十三種，該書始於一九三五年，先出《元人雜劇輯佚》，復經增訂乃得四十三種及附錄二種，其第九種即王實甫的《蘇小卿月夜販茶船》，趙氏在佚文後之說明略謂：「此套《盛世新聲》、《詞林摘艷》、《雍熙樂府》皆收，《廣正譜》又收〈鬥鵪鶉〉一曲，題王實甫《販茶船》。雙漸與蘇卿故事在元、明兩代之盛行絕不下於崔鶯鶯之西廂記故事。無論劇作與散曲，每常大量引用描寫，以作為戀愛故事之譬喻。惟此盛行之故事，其詳細內容尚不易見到較早之整個記載文字，且元人所作雜劇及南戲亦無整本留存者。……」以下節引《青泥蓮花記》，茲不贅。趙氏又云：「此故事雖然簡單，惟與吾人所能見到之戲曲方面同一資料互證，尚無多大出入。此外可稍作補充者：蘇小卿簡名蘇卿，色藝兼優；雙漸字通叔，通稱雙生或雙解元，乃風流才子型之人物，後作縣令；蘇卿之母蘇媽媽乃典型之鴇兒，唯利是圖；馮魁乃豪商，販茶為利，為道地之反派人物；由此不難想像故事之發展面貌。附帶應提及者：雙漸與蘇卿交好後之分別，當由於受錢鈔之逼迫，以及蘇卿慫恿求官之故；蘇卿為馮魁使計架走，往金山寺題詩之一關目，尤為此故事極重要的環節。「題詩」及此故事發展之轉捩點。據現今之可了解者，在蘇卿題詩示意後（或原約雙漸在金山寺會見，而雙漸一時不及趕到），雙漸方知蘇卿為人架走；此後即為雙漸趕蘇卿之動人場面，元明作家記載甚多……」趙氏並推測此折應為全劇前半之第二折，可能是馮魁通同蘇媽媽揑造雙漸負心信件。趙氏由於首先注意此故事，因而大致推測較他家為近事實，然總因所見資料仍不夠多，故亦無新發現。

13. 一九五七年胡忌作《宋金雜劇考》頁一七五：院本名目〈調雙漸〉下注云：「雙漸即雙生，元時極有名故事之一，首見曾鞏《南豐類稿》。」而頁二一七調雙漸後云：「雙漸和蘇卿的故事，是元雜劇中徵引最多的故事之一，它和《西廂記》故事的流行不相上下……」胡氏提出曾鞏《南豐類稿》，這一點可是大發現，看來雙漸是確有其人，《人名大辭典》亦非無據，我們檢查《南豐文集》，在詩集卷五頁五十九，載有〈送雙漸之漢陽〉七言律詩一首：

楚國封疆最上流，夾江分命兩諸侯。
何年南狩牙檣出？六月西來雪浪浮。

夏口樓臺供夕望，秦川風物待春游。
可能頻度漁陽曲，不負當年鸚鵡洲。

這首詩的內容，一時還不能完全明白。但雙漸其人的存在，而且與唐宋八大家之一的曾鞏有來往。這個證據是夠人高興的！但更令人高興的是文集卷三十七，頁一三三竟然還有一篇曾鞏為雙漸母親邢氏作的墓詩銘，這個收獲可真大了！全文是這樣：

雙君夫人邢氏墓誌銘

夫人邢氏，無為軍巢人也，嫁為贈大理寺丞姓雙氏諱華之妻，封萬年縣太君。子男三人：曰漸，為尚書屯田員外郎，通判吉州軍州事；餘未名，皆早夭。夫人年八十有六，嘉祐四年九月二十七日，卒於宣州之官舍，六年十二月二十七日，葬於無為軍巢縣無為鄉惲良里之原。

方大里府君之在隱約，屯田始就書學；夫人能經理其家，使無內憂，以卒就其志。及屯田有列於朝，夫人食其祿養，就封大縣，實受成報；天之施與善人，豈非信哉？

夫人之在疾也，屯田之配長壽縣君陳氏供養營救，有過人之行；州上其事，天子聞而嘉之，敕州使致粟帛賜其家。於是知夫人之善，不獨能成其子，又能化其家也。銘曰：

允淑夫人，秉是壺彝；有韓車服，維寵嘉之。
葬有卜壤，其吉在斯；推求美實，眎此銘辭。

在這篇墓誌銘中，提供我們很多有關雙漸的第一手珍貴資料：父雙華，母邢氏，無為軍巢縣人；生三子，雙漸為長子，其餘早夭；母親壽八十六，卒於仁宗嘉祐四年（一〇五九），上推生年當在宋太祖開寶七年九七四，嘉祐六年安葬。墓誌銘應是作在嘉祐六年，曾鞏於嘉祐二年成進士，時年三十九；曾鞏祖母黃氏封萬年縣太君，雙漸母親邢氏亦封萬年縣太君；邢氏去世時，雙漸已作到屯田員外郎、通判吉州軍州事，其成進士之年一定較曾鞏早得多；人名表說他是慶曆進士。如果邢氏三十歲前後生雙漸，而雙漸成進士可能也在四十左右，亦如曾鞏三十九歲成進士，則邢氏去世時，雙漸亦在五十幾歲。前後推自大約是真宗到仁宗前後在世；約在西元一〇〇〇年到一〇七〇年之間；同時雙家早年並不豐裕，母親勤儉持家，使雙漸能成功名；雙漸很孝順，父母均因子貴而受封贈；雙漸妻子陳氏，也是好媳婦，也受到地方官員尊敬，得到天子的褒揚，當然這裏並沒提到蘇卿，可是宋人遊宦在外，常有侍姬寵妾之事，視為常事。甚至也有太學生得妓資助，而能得中授官，像朱端朝與馬瓊瓊；饒州舉子張張與東曲妓楊六。雙漸之與蘇卿，自屬可能發生之事，但事實竟如何，找不到一手資料，只得從現存較早的作品敘述中去揣摩了。

14.一九五八年元月，譚正壁發表一篇「雙漸資料」，該文未見，但同年趙景深成《元明南戲考略》，在「過去對南戲研究的成就和缺點」一文中指出《百一錄》的錯誤：「《蘇小卿月夜販茶船》，同題材的作品很多。除《百一錄》已舉外，尚有……元人散曲詠及此故事的更多，不一一列舉。我的《小說戲曲新考》中有雙漸和蘇卿篇，且有明人所記故事梗概。」趙氏文中除列舉四十幾例的散曲外，就是增添了《青泥蓮花記》，趙文說：「但我所舉的二十五個散曲和小令，除了白仁甫一條外，也是趙萬里先生所完全不曾稱引的。因此我這暗中摸索的文章還是不妨讓它存在；可以藉此考見二人散曲詠到這故事的是如何盛行。我所尋找的小女孩也算找到了，雖然不是宋人的，就是明梅禹金的《青泥蓮花記》。」譚文未見，但在他的「永樂大典所收宋元戲文三十三種考」一文第十二：「蘇小卿月夜販茶船」條下除列舉院本、諸宮調、雜劇等劇目之外，並附錄《青泥蓮花記》卷七蘇小卿一段，別無新資料，內容大約如此。

15.一九五九年十二用羅錦堂先生《現在元人雜劇本事考》第三章現存元人雜劇之分類第四節：戀愛劇：敘云：「《販茶船》劇雖不傳，然其主角蘇小卿，見於明梅禹金纂《青泥蓮花記》卷七，亦妓女也。」別無他說。十九六二年三月，程毅中發表「雙漸趕蘇卿的遺響」，譚正璧：「雙漸蘇卿本事新證」，二文未見，同年凌景埏氏校注《董西廂》，在（也不是雙漸豫章城）注中，亦未見進一步新資料。

16.一九七七年胡士瑩氏成《話本小說概論》，第十章的附錄：「宋元話本鈎沉」，五、（蘇小卿）（傳奇文）：「雙漸蘇卿故事，宋元民間極為流行。元人戲劇和散曲採用此故事者尤夥，曾鞏《元豐類稿》卷四十五〈雙君夫人邢氏墓誌銘〉，……又卷六有〈送雙漸至漢陽〉一詩，可見雙漸是實有其人，且為曾鞏的朋友。按隆慶《廬州志》：「雙漸，慶曆二年壬午（一〇四二）進士，無為軍人，博學能文，為職方郎，知同州。」胡氏以下錄《青泥蓮花記》及趙景深（雙漸和蘇卿）一文中從殘曲所鈎勒出的故事梗概，其下又云：今《永樂大典》卷二四〇五「蘇」字韻載有〈蘇小卿〉一篇，係《醉翁談錄》煙花奇遇類的佚文。情節比較完整，獨無金山寺題詩一事，茶商馮魁之姓名文中亦未提及，必有脫誤處。……茲錄《永樂大典》所載原文如下：其文甚長，大意是小卿父蘇寺丞為閭江知縣，一日於花園見雙生，因家貧暫為本縣之廳吏，二人一見相悅，以詩相試。女乃命生辭職，求上進，苦學二載，功業成，歸詢本縣，云寺丞已故，縣君挈家住揚州外家；生至揚州，聞小卿母亦亡，卿落娼，生大慟，適契友皇甫善、劉仲脩至，共往妓陌，筵間遇歌姬，求漸新詞。漸作〈人月圓〉一首，妓行酒，漸覺其若小卿，互問姓氏，果小卿也。夜則小卿遣婢邀生，得敘種切，時蘇與司理院薛官人為親，蘇囑漸俟司理返家即來相聚。如是二春，雙任滿歸京，乘舟大江，忽見一畫舸相近，見乃小卿偕二婢及薛，彈琵琶江上，二人不敢傳言，乃作歌曰：「樂天當日潯陽渚，舟中曾遇商人婦。座間因感琵琶聲，與托微言寫深訴。……十八韻。」小卿出視即雙生也，復彈琵琶歌曰：「妾家本住廬江曲，私處蘭閨嬌不足……。」十韻，乃相偕往京師；得偕老焉。

《醉翁談錄》一書，是記錄南宋末年說話人情況的書，其中所收雖多傳奇文，然往往亦為說話人採為底本。此篇雖非話本，可能亦為說話人口頭說唱的記錄。胡氏又云：「雙漸與蘇卿故事，產生於北宋，其情節實受白居易〈琵琶行〉的影響，而馬致遠的〈青衫淚〉，其關目又似脫胎於雙蘇故事。《石點頭》卷二〈盧夢仙江上尋妻〉一篇，敘盧與其妻李妙惠的悲歡離合。與雙漸蘇卿的情節也很近似，連金山時題壁詩也是襲用的（文字小有出入）。或許《石點頭》的作者天然痴叟有意模擬此故事，也很難說（篇中也提到馮商還妾故事）。此故事北宋末年已在說唱，《水滸傳》第五十回白秀英說唱的〈豫章城雙漸趕蘇卿〉，是最早的說唱表演，此後編為說唱和戲劇的甚多。南宋時有張五牛的唱賺，宋末元初又有商政叔改編的《諸宮調雙漸小卿》。」

總括說來，胡氏這段鈎沉，參考價值是很高的！尤其把《醉翁談錄》的佚文，從《永樂大典》抄下，不一定是故事的真象，但卻提供了更多相關相關資料。這些資料，一直到一九八三年八月趙景深的《中國戲曲新考》出版，大約沒有什麼改變。以上是將歷年來關心此一題材的戲曲學者，小說學者們，對雙漸蘇卿故事所做的爬梳整理工夫，作了一個系統的敘述，可以看出它在戲曲史上應是個熱門話題。

三、有關雙漸故事劇目的著錄

既然雙漸與蘇卿在元明散曲劇曲中是很熱門的，它先後到底被寫成那些劇本呢？大家都知道明代中期以後，其劇本存否尚不敢肯定。但在劇作家或曲家的作品中，提到它的越來越少，這個現象在後面資料篇裏可以得到消息。現在我們從戲曲著錄的目錄中可以觀察一下此一題材的作品：

1.《錄鬼簿》卷上王實甫名下有《販茶船》：題目是〈馮員外誤入神仙種〉，正名是〈信安王斷沒販茶船〉。注云：《永樂大典》卷二〇七五五雜劇十九有目作：《蘇小卿雙漸販茶船》。

又紀君祥名下，《販茶船》二本，注曹本作：《信安王斷復販茶船。》

2.一九五七年傅惜華《元雜劇全目》頁六三：王實甫名下有《信安王斷沒販茶船》；頁一一五：紀君祥：《信安王斷復販茶船》。頁三五一：無名氏《豫章城人月兩團圓》：注云：《錄鬼簿續編》失載名氏目著錄：題目作〈金斗郡夫妻雙拆散〉，正名作〈豫章城人月兩團圓〉。簡名：《兩團圓》。按：胡士瑩《話本小說概論》頁三五五作楊景賢作，未知何據。

3.一九七九年莊一拂氏《古典戲曲存目彙考》出版，莊氏利用了二千七百餘種書中，搜得四千七百五十餘劇目，可以說是目前搜羅最富的一部曲目了，在卷二宋元闕名目作品戲文二：《蘇小卿月夜泛茶船》下注云：《永樂大典》，戲文十一、《南詞敘錄》，宋元舊篇均著錄。《九宮正始》或題蘇小卿或題雙漸均注元傳奇（按尚有題馮魁，見《南呂近詞》〈婆羅門賺〉目下）《宋元戲文輯佚本》存殘曲十支。事見梅鼎祚《青泥蓮花記》（下略）……《萬姓統譜》云：漸，廬江人，慶曆進士。並見《明道雜誌》。戲劇演雙漸、蘇卿故事，有《販茶船》、《麗春園》、《豫章城》三種。宋、金諸宮調有《雙漸豫章城》一本，金院本有《調雙漸》一本，元雜劇有王德信《蘇小卿月夜泛茶船》、紀君祥《信安王斷復販茶船》，庾天錫《蘇小卿麗春園》，闕名《趕蘇卿》，《豫章城人月兩團圓》，明清傳奇有《三生記》、《茶船記》、《千里舟》等。」這一段文字，可以說大致已將可見的（雙漸蘇卿）為題材的劇本，全部臚列了；但卷九中頁八九〇，《題曲記》：注云「此戲未見著錄，傳奇彙考標目別本著錄」，注云：「小青事，不詳所據。佚。」

按此當為（雙漸小卿）故事，可能卿誤作「青」。大約以金山題詩為主的戲本。周貽白在其《中國戲劇本事取材之沿襲》（見《周貽白戲劇論文選》）文中，謂葉憲祖作有《雙卿記》；莊考卷十三另有《雙漸記》，據《曲錄》收。

從以上存目亦可知其為熱門故事，喜歡的人多，改編的人也多。故事以訛傳訛，逐漸變形的機會也就多了。但其遺失的理由，是否同型的故事劇太多了？這一點頗堪研究。進入明代傳奇，才子佳人的故事也更多了。由於適合區域性的趣味，原型劇或許便因而被人遺忘了！明代是個商業社會，書商射利，固可將暢銷書改頭換面，偷工減料地印行販賣。這種技倆，很難說不會影響到戲劇。

四、雙蘇故事元明散曲、劇曲中所見之資料

由於所得元明人散曲及劇曲等資料太多，不能一一全文照錄，茲先將其分為㈠以雙漸小卿為主題之小令，㈡以雙蘇故事或人作比喻之小令，㈢以雙漸蘇卿故事為題材之散套，㈣套中涉及雙蘇故事者，㈤劇中涉及雙蘇故事者五大項，並編為代號，以便討論時引述方便，順序大致依全元散曲，其未收則按作者時代：

㈠以雙漸小卿故事為主題之小令：（阿拉伯號碼上△示趙文已同此）

△1.盧　摯　雙調蟾宮曲　暮雲遮野寺山城　「小卿」

△2.關漢卿　雙調碧玉簫　黃召（肇）風虔

△3.關漢卿　雙調大德歌　綠楊堤

△4.鄭光祖　雙調蟾宮曲　飄飄泊泊船纜定沙汀

5.曾　瑞　南呂四塊玉　黃肇村　「嘲妓家」

6.曾　瑞　中呂快活三過天子　花刷子拽大權　「勸娼」

△7.周文質　仙呂一半兒　多承蘇氏肯憐才

△8.喬　吉　雙調水仙子　豫章城錦片鳳凰交

△9.吳弘道　中呂上小樓　蘇卿告覆　「題小卿雙漸」

△10.張可久　正宮醉太平　塵蒙了鏡臺　「無題」

△11.張可久　越調寨兒令　洛浦仙　「姑怨」

△12.徐再思　中呂陽春曲　蘇卿倦織回文錦　「雙漸」

△13.王　曄　朱凱　雙調慶東原　于飛燕　「黃肇退狀」

△14.王　曄　朱凱　雙調折桂令　俏排場慣戰曾經　「問蘇卿」

△15.王　曄　朱凱　雙調折桂令　平生恨落風塵　「答」

△16.王　曄　朱凱　雙調殿前歡　小蘇卿　「再問」

△17.王　曄　朱凱　雙調殿前歡　漢懷兔　「答」

△18.王　曄　朱凱　雙調水仙子　明明的退佃麗春園　「駁」
△19.王　曄　朱凱　雙調水仙子　書生俊俏卻無錢　「招」
△20.王　曄　朱凱　雙調折桂令　馮魁㗖你自尋思　「問馮魁」
△21.王　曄　朱凱　雙調水仙子　黃金鑄就劈閑刀　「答」
△22.王　曄　朱凱　雙調折桂令　小蘇卿窨變了心腸　「問雙漸」
△23.王　曄　朱凱　雙調水仙子　陽臺雲雨暫教晴　「答」
△24.王　曄　朱凱　雙調折桂令　麗春園黃肇姨夫　「問黃肇」
△25.王　曄　朱凱　雙調水仙子　風流雙漸慣輪鍘　「答」
△26.王　曄　朱凱　雙調折桂令　蘇婆婆常只是熬煎　「問蘇媽媽？」
△27.王　曄　朱凱　雙調水仙子　有錢問甚紙糊鍬　「答」
△28.王　曄　朱凱　雙調水仙子　雙生好去覓前程　「議擬」
29.王舉之　中呂仰仙客　雙解元　「戲題」
30.劉庭信　正宮醉太平　聰明的志高　「走蘇卿」
31.蘭楚芳　南呂四塊玉　雙漸貧
32.無名氏　南呂罵玉郎帶過感皇恩採茶歌　金山寺裏　「詠蘇卿」
33.無名氏　中呂滿庭芳　紅消杏臉

34.無名氏　中呂滿庭芳　無情妳妳

35.無名氏　中呂滿庭芳　牙恰母親

36.無名氏　中呂滿庭芳　殘紅萬點

37.無名氏　中呂滿庭芳　教人笑倒

38.無名氏　中呂滿庭芳　勝如繼母

39.無名氏　中呂滿庭芳　枉乖柳青

40.無名氏　雙調對玉環　歌舞嬋娟

△41.無名氏　雙調殿前歡　憶多情

42.無名氏　雙調沽美酒過快活年　黃超廝戀纏

43.無名氏　雙調沽美酒過快活年　馮魁又酒未醒

44.無名氏　雙調折桂令　想多情恨殺薄情

45.無名氏　商調梧葉兒　臨川令　蘇小卿　「蘇卿」

46.無名氏　商調梧葉兒　秋天淨　江月開

47.無名氏　正宮叨叨令　淹淹水裸金山寺

從以上四十七首小令，肯定金斗蘇卿，曾在金山寺題詩，有1.2.3.9.32.40.47.七首；相關人物有黃肇，亦作黃召、黃超；見2.5.13.31.42.及黃肇退狀中一組；馮魁則見於2.3.5.6.8.10.29.30.31.41.

42.43.45.46.及王曄所作一組中；蘇卿見1.2.4.6.7.8.9.12.30.32.39.41.42.43.44.45.47.及退狀一組；雙生2.4.5.6.8.9.10.12.29.30.31.32.36.39.41.42.43.44.45.46.47.而且重點都在題詩，販茶船，馮魁喝醉，蘇婆婆愛錢；第九首詩明白地說明雙漸赴京應舉，沒有消息，小卿被馮魁買去，趕蘇卿是在秋天；第42.首蘇卿的心意非常明白，祝願火燒麗春園，浪沖翻販茶船，休驚了雙知縣。

(二)小令中涉及二人或引以為喻者：

△1.王和卿　雙調撥不斷，一箇胖雙郎　「胖夫妻」
2.徐　琰　雙調蟾宮曲　結同心盡了今生　「言盟」
△3.貫雲石　正宮塞鴻秋　起初兒相見十分忺
4.曾　瑞　中呂喜春來　無錢難解雙生悶　「妓家」
5.劉時中　雙調慶東原　雲輕散　月易殘　「題情」
6.張可久　越調寨兒令　影外人　怕風聲
7.張可久　雙調湘妃怨　糶風賣雨孔方兄　「春思」
△8.徐再思　雙調蟾宮曲　溫柔鄉裏娉婷　「贈粉英」
9.劉庭信　正宮塞鴻秋　蘇卿寫下金山恨　「悔悟」
10.劉庭信　越調寨兒令　沉點點　冷丁丁　「戒嫖蕩」
△11.無名氏　越調寨兒令　拖漢精　陷人坑　「戒嫖蕩」

12.無名氏　越調寨兒令　情意牽　使嫌錢　「戒嫖蕩」
13.無名氏　越調寨兒令　知你下手遲　「戒嫖蕩」
14.無名氏　雙調折桂令　問風流籍上編誰
15.湯　氏　中呂謁金門　你嗚珂艷娃　「聞嘲」
16.楊　訥　中呂普天樂　寧可效陶潛　「嘲湯舜民戲妓」
17.無名氏　中呂十二月過堯民歌　看看的相思病成
18.無名氏　越調柳營曲　駝漢精　陷人坑
19.無名氏　越調柳營曲　沉默默　冷丁丁
20.無名氏　越調柳營曲　便做道負桂英
△21.無名氏　越調?闌人　花陣贏輸隨鏝生　「章臺行」（又見作詞十法）
22.無名氏　越調壽陽曲　裝呵久長吁來應
△23.無名氏　雙調水仙子　麗春園蘇氏棄了雙生　「雜詠」
24.無名氏　雙調水仙子　臨川縣雙漸戀蘇卿
25.無名氏　雙調水仙子　上花臺何必禮謙謙
26.無名氏　正宮塞鴻秋　王魁做了狀元
27.朱有燉　正宮醉太平　銅駝巷判詞　「風流令史」

28.無名氏　雙調折桂令　負心的萬代無情

29.誠　齋　越調寨兒令　難救拔　怎收煞

30.誠　齋　雙調水仙子帶過折桂令　並頭蓮池上錦鴛行

31.無名氏　中呂十二月過堯民歌　這的是金山豫章

32.陳　鐸　雙調雁兒落帶得勝令　一箇風流蘇小仙

33.陳　鐸　正宮脫布衫帶小梁州　印春泥三寸金蓮

在這些小令內，大半是以二人為比喻對象，風月場中的比喻為多，或言其真情，或責其負心，大致是如此。

(三)散套所詠以雙漸雙卿故事為主題者：

1.王和卿：黃鐘文如錦　病懨懨套　以蘇卿口吻大約述其在茶船上思念雙漸成病，末句「則被你思量煞小卿也，雙漸！」

△2.白　樸：小石調惱煞人　又是紅輪西墜套　敘述恨馮魁狗行狼心，憶小卿牽腸割肚，完全雙漸口吻，大約是在趕蘇卿時，因有「雙生無語淚珠落，呼僕隸指撥水手，在意扶舵。」

△3.馬致遠：仙呂賞花時　馮客蘇卿先配成套　題目為「長江風送客」，實是以雙漸口吻，知道消息連夜趕往豫章的情況。

△4.馬致遠：商調集賢賓　「金山寺可觀東大海」套　是以蘇卿口吻，在寺裏題詩，向長老拜託留話。說明金斗郡蘇卿是娘毒害，嫁得江洪茶員外，約雙漸到豫章相見。

△5.周文質：越調鬥鵪鶉　「釋卷挑燈」套　題為「詠小卿」，從「因觀金斗遺文，故造綠窗新語。」說明周文質是以雙漸馮魁蘇卿故事為題，用對比手法來敘述這段離合悲歡故事。而且是雙漸正孤單一人，而馮魁正紅袖雙扶呢！

6.楊立齋：般涉調哨遍　「世事摶沙嚼蠟」套　前有小序并鷓鴣天引辭，明敘張五牛、商正叔編「雙漸蘇卿」，趙真真善歌，又見楊玉娥唱其曲，因而作此套。開場是一些勸客所唱的奉承話，五煞起進入故事：雙漸才高、蘇卿貌美、茶商來擺闊，買去蘇卿，金山寺題詩等；然後又說明趙真真頭名，楊玉娥第二，均擅唱此故事，證明張五牛所編選的似石中玉，而商正叔重編如添錦上花。

△7.王　氏：中呂粉蝶兒　江景蕭疏套　《詞謔》題作「趕蘇卿」《詞林摘艷》，題「寄情人」、《雍熙》題「蘇卿訴苦」、《北宮詞紀》作「詠趕蘇卿寄情」，大意是蘇卿被馮魁帶到金山寺，在一座古寺裏向老院主訴苦，邊寫詩邊哭，埋怨愛錢的娘，討厭喝醉的馮魁。想念應舉的雙漸音信全無，是蘇卿口吻。

△8.宋方壺：黃鍾醉花陰　「雪浪銀濤大江迥」套　題作「走蘇卿」，《雍熙》題作「趕蘇卿」，是以雙漸口吻說他趕到金山不見蘇卿。在寺裏的老禪師向他說一個傷心的女

子在壁上題詩，雙漸一看知是蘇卿，被愛錢娘賣給馮魁。於是上船追趕，到了豫章城，月下見到蘇卿。

△9.無名氏：黃鍾願成雙　香共爇、誓共說套　是以小卿吻，說自雙漸為功名赴長安，相思成病。《雍熙》題作「蘇卿」。

10.無名氏：黃鍾願成雙　如病弱、似醉酣套　亦是以蘇卿口吻說明別雙漸之後，相思成病，要寫信給雙漸。但《雍熙》無題，由「三婆」得知與前套同敘一事。

△11.無名氏：黃鍾「願成雙，鴛鴦對，鸞鳳鳴」套　是以蘇卿口吻，訴說本擬尋求美滿前程。不意為鴇母所賣，硬拆散良緣，囑雙生到豫章城下等。

按此三套(9.10.11.)，形式短小，不似元人平常散套，頗類諸宮調之結構，此二套均用黃鍾願成雙、么、出隊子、么、尾，劉知遠諸宮調有黃鍾願成雙、么、尾；而且諸宮調的組織，鄭振鐸在其「宋、金、元諸宮調考」中將諸宮調的組套形式分為（甲）：組織二個同樣的隻曲而成者；（乙）組織二個或二個以上同樣隻曲，並附以尾聲而成者；（丙）組織數個不同樣的隻曲並附以尾聲者。此三套與鄭氏所分（乙）類套式相同；而且鄭氏分析「尾聲」，大都為七字三句，此三套亦然，果如此，則當是雙漸蘇卿的諸宮調殘存了！這是作者發現與肯定。前幾年我的學生汪天成君作「諸宮調研究」碩士論文已經確定《雍熙》卷一頁六十一前兩套為諸宮調，實則第三套也是的。

12.無名氏：正宮端正好　本是對美甘甘錦堂歡套　《摘艷》作（送別），《雍熙》題（趕蘇卿），內容是春天小卿送雙漸去趕考，錢行的離別場面。

△13.無名氏：正宮月照庭　老足秋容套　以蘇卿口吻，在茶船上思念雙漸，聽得琴聲，以為是雙漸，結果被馮魁酒醒攪破好夢。

14.無名氏：商調集賢賓　「記當年宴青樓初見影」套　其中首曲有「感承他們佳期預先花下等，成就了片霎兒前程」。情節頗似《醉翁談錄》，只是《談錄》中初見時蘇卿尚未落娼。此處則「青樓初見」，其中可能有老鴇不歡迎窮雙漸，朋友也從中勸阻，故有：「想著我朋友上費了些搶白，想著他母親行受了些撞挺」，《雍熙》題（佳偶）不如《彩筆情辭》題作（懷美）較貼切，而且加上浪來裏煞一曲，正是雙漸赴考客中懷念小卿的情懷。

15.無名氏：正宮端正好　「不睹事拆鸞凰」套　《詞林摘艷》題（詠蘇卿），《雍熙》題（蘇卿題恨），其內容則似以雙漸口吻。當他知道蘇卿為茶商買去後，獨自一人，「想那無主意的人，恨他那有勢力的錢！被幾文潑銅錢將柳青來買轉……」「書寫下情詞數聯……將心事付嬋娟，百般的無一個順便。」「有一日宴罷瓊林作狀元，除得臨川作府縣，那時節蘇婆婆方知姓名顯。」全是雙漸情懷。

△16.無名氏：越調鬥鵪鶉　「一葉舟中」套　《雍熙》卷十三題（趕蘇卿），《詞林》未

收。全套以雙漸口吻，月夜趕至金山，走到古寺，心裏恨薄情小卿。禪師帶他巡視，在西廊壁上見到題詩，趕到船邊，小卿在彈琵琶，兩人見面，正是馮魁酩酊昏睡，乃共赴臨川。

17.明王文舉：黃鍾醉花陰　「短棹輕帆下江水」套　《詞林摘艷》題（趕蘇卿），《雍熙》相同，敘述雙生知道消息到金山寺找蘇卿，求籤問信。在廊下見到題詩，一看便知是小卿所寫。雙漸看了大為感動，僧人在一傍傳口信，解釋是愛錢娘所逼，要他趕快到臨川縣豫章城去相會。

除去三套諸宮調，十四套都是以雙、蘇二人事跡為主題，其中5.6.17.是以客觀或第三人稱來敘經過，12.是敘蘇卿送雙漸去趕考，14.是敘雙漸赴考途中想念蘇卿，15.16.8.2.3.是說雙漸得知消息後的反應及如約追趕蘇卿；1.3.7.9.10.11.13.都是說蘇卿送別雙生後的思念，被迫上茶船後的痛苦，至金山寺題詩，託僧人傳口信給雙生。主要情節，幾乎都具備了！

(四)元明人散套中引到雙漸蘇卿者並摘其相關詞句：

△1.楊西庵：仙呂賞花時　「麗人春風三月天」套　「不是雙生自專，小卿緊勸。只休教花殘鶯老了麗春園。」

2.商正叔：雙調夜行船　「風裏楊花水上萍」套　「自從少箇蘇卿，閑煞豫章城。」

3.鄭庭玉：商調高平煞　殘曲套　「暢道急別了僧人，懷著那一天悶走到蘭舟內。」

4. 侯克中：黃鍾醉花陰　「涼夜懨懨露華冷」套　「他待做臨川縣令，俺不做盧州小卿。」

5. 吳昌齡：正宮端正好　「墨點柳眉新」套　「莫不是麗春園蘇卿的後身，多應是西廂下鶯鶯的影神。」

△6. 趙明道：越調鬥鵪鶉　「樂府梨園」套　「蘇小卿到底嫁雙郎，因為和樂章，動官長。」

△7. 曾　瑞：越調鬥鵪鶉　「連夜銀蟾」套　「早起無錢晚夕厭，怎拘鈐，蘇卿不嫁窮雙漸。」

△8. 睢景臣：大石調六國朝　「長江浪險」套　「儘亞仙嫁了元和，由蘇氏放番雙漸。」

△9. 周文質：雙調新水令　「落紅風裏不聞聲」套　「蘇卿偏識臨川令，俏心腸忒志誠。」

10. 喬　吉：越調鬥鵪鶉　「教坊馳名」套　「麗春園門外是潯陽岸，最險是茶船上跳板！」

△11. 顧君澤：仙呂點絳唇　「四海飄蓬」套　《太平樂府》題「四友爭春」，「雙手雖俊風聲重，蘇卿缺鏝情腸痛，馮魁不言機謀中。」

12. 景元啟：雙調新水令　「一春常費買花錢」套　「因此上典賣了洛陽田，重建座麗春園……床邊，放一卷崔氏春秋傳；窗前，橫一幅雙生風月篇。」「常言道女貌郎才，恨惹情牽，將一對美滿姻緣，萬載千秋教人做笑話兒演！」

△13.趙顧宏：南呂一枝花　「十年將黃卷習」套　「本性謙謙，到處干風欠，人將名姓呫，道麗春園重長箇羲之，豫章城新添箇子瞻。」「堪笑多情老雙漸。江洪茶價添，醜馮魁正忺，見箇年小的蘇卿望風兒閃！」

14.朱庭玉：南呂梁州第七　「腹內包藏錦繡」套　「裏外中間都是他周全方便，須對付出箇省錢的，應奉的雙生更歡喜，也不教惡了馮魁。」「渾似薛濤般聰慧，過如蘇小般行為。」

15.朱庭玉：雙調夜行船　「無限鶯花慵管領」套　「博得箇好兒名，那裏施呈，而今縱有雙秀才，誰是蘇卿？」

16.趙彥暉：南呂一枝花　「七寶羅漢身」套　「常則是金斗郡雙生和小卿，幾曾見麗春園蘇氏配都剛。」

△17.孫季昌：正宮端正好　「鴛鴦被半床閑」套　集雜劇名詠情：「指望似多情雙漸憐蘇小，到做了薄倖王魁負桂英，撇得我冷冷清清。」

18.張鳴善：中呂粉蝶兒　「霧鬢雲鬟」套　「蘇小卿風塵意懶，雙通叔名利相干。雖不學雙生是對手，也合與蘇氏同班。雖葬在黃坵土灘，名播在天上人間。」

19.張彥文：南呂一枝花　「春風醉碧桃」套　「雙漸又程賒，蘇卿又薄劣，馮魁懇切，不提防暗使鍬掘。」

20.季子安：中呂粉蝶兒　「這些時意懶心慵」套　「小卿倒把雙郎送，鶯鶯遠卻離張珙。」

21.陳克明：中呂粉蝶兒　「畫閣蕭疏」套　「趕蘇卿何處雙通叔，到做了三不歸離魂倩女。」

22.湯　式：雙調新水令　「十年無夢到京師」套　題「送王姬往錢塘」：「明牽雙漸情，暗隱江淹志，多嬌鑒茲。」

23.湯　式：商調集賢賓　「鶯花寨近來誰戰討」套　題：「友人愛姬為權豪所奪，復有跨海征進之行，故作此以書其懷。「陣馬咆哮，比販茶船煞是粗豪，將俺這軟弱蘇卿禁害倒。」

24.湯　式：南呂一枝花　「星曆曆花鈿簇翠圓」套　「冠薛濤壓秋娘的聲價，傲馮魁憐雙漸的心苗，五陵兒沒福也難消。」

25.湯　式：南呂一枝花　「黑漫漫離恨天」套　「妝孤的已受王魁戒，贍表的休誇雙漸才。這兩件達時務的玄機恰參解。」

26.湯　式：南呂一枝花　「麗春園有世情」套　「玉簫女結韋臯兩世絲蘿，蘇小卿配雙漸百年姻眷。」

27. 湯　式：南呂一枝花　「紅舒臉上桃」套　「誰不知蘇卿已嫁雙通叔，王氏偏憐秦少游。」

28. 湯　式：南呂一枝花　「堪嗟和氏冤」套「美聲譽高如金斗，秀名兒近似珠廉，富石崇猶兀自等等潛潛，窮雙漸也則索讓讓謙謙。……敲得些販茶商睡思懨懨。」

29. 湯　式：南呂一枝花　「不參懵懂禪」套　題「嘲妓名佛奴」，「雖然道村馮魁布施些錢財，須不曾俏雙生供養在書齋。」「風月所狀責，教坊司斷革，迭配與金山寺江中販茶客。」

30. 湯　式：正宮塞鴻秋　「一會家想多情」套　「便有那馮魁黃肇，無福怎生消。」

31. 無名氏：正宮端正好　「常想著狎粉席」套　「想則想爭想似更風流昔年雙漸，猜則猜休猜做沒出活今日江淹。」「我其實怕叩海神那一場靈驗，我其實怕賺蘇卿一命增添。」

△32. 無名氏：般涉調耍孩兒　「昨朝有客來相訪」套　題「拘刷行院」，「待呼小卿不姓蘇，待喚月仙不姓周。」

△33. 無名氏：越調鬥鵪鶉　「雪艷霜姿」套　「有有蘇卿才貌，我學雙漸真誠。望博箇美滿姻緣。」

△34. 無名氏：越調鬥鵪鶉　「莫不是陳搏的姨姨」套　「西廂底鶯鶯立睡，茶船上小卿著

昏。」

△35.無名氏：雙調新水令　「閑攬風吹散楚臺雲」套　「一扇兒雙通叔和蘇氏到豫章城，一扇兒司馬文君。」

△36.無名氏：雙調新水令　「鳳凰台上憶吹簫」套　「黃詔奢豪，桑木劍熬乏古定刀；雙郎窮薄，紙糊鍬撅了點鋼鍬。怕不待爭鋒取債戀多嬌。又索書名畫字尋人保，枉徒勞，供錢買笑教人笑。」

△37.無名氏：雙調風入松　「翠樓紅袖倒金壺」套　「假做蘇卿伴侶，被馮魁早已圖謀。使盡心，才得悟。」

38.楊彥華：中呂粉蝶兒　「一點情牽」套　「俊俏的蘇卿逢著箇雙解元，吵鬧了臨川縣；標緻的元和，逢著箇李亞仙，他兩個風月了悲天院。」

39.史直夫：正宮端正好　「花下燕鶯期」套　「西廂下鶯鶯少了見識，臨川縣蘇卿等了半日，有一日江景淒淒，風雨霏霏，怨怨悲悲，哭哭啼啼，直趕到金山恁時節悔。」

40.誠　齋：仙呂點絳唇　「嬌艷名娃」套　「心靈變勝似亞仙名，性聰明不在蘇卿下。」

41.誠　齋：南呂一枝花　「蜂黃散晚晴」套　題「代友人勸從良伶者」，「休著那俏雙生怨殺馮員外，走到那金山時，捏下了這場怪，得也麼蘇卿忒性乖，怎做的立志清白？」

42. 無名氏：雙調新水令　「鳳臺人去憶簫聲」套　「一會家盼多情，恰便似竹林寺不見影。這些時魚雁無憑，恰便似線斷了的風箏，知他在那裏臨川縣令，拋撇下小蘇卿。」

43. 無名氏：商調集賢賓　「自別離到今」套　「睡不寧，怎教人捱到明，這殘生風內燈，蘇小卿怎不怨雙縣令，約當初山寺等。我這裏自評，撲簌簌淚傾。」

44. 無名氏：正宮端正好　「寂寞煞海棠嬌」套　「想雙生不負心，有蘇卿情性好，喜風流不愛馮魁鈔，尾生不知藍橋信。」

45. 無名氏：正宮端正好　「支楞的斷了冰絃」套　「好著我睡不成，一箇冷落在臨川縣，一箇寂寞在象章城，他兩箇一般病症。」

46. 無名氏：仙呂點絳唇　「半世著迷」套　「想當初鄭元和錯用心，馮員外不見機，三千茶鹽落水。」

47. 無名氏：仙呂點絳唇　「花面金剛」套　「想當初馮員外，愛蘇卿沒主張，把三千茶送在平康巷，五百鹽堆在章台上，十塊鈔卸在梨園放，只落的滿船空載月明歸，一帆虛影風飄蕩。」

48. 無名氏：仙呂點絳唇　「滿腹愁懷」套　「則為你張君瑞逗留的鶯鶯害，則為你雙通叔傒倖的蘇卿怪。」

49. 無名氏：中呂粉蝶兒　「朋友同席」套　「若論女流之輩，今古誰及……蓋世間除了他，有蘇卿難賽比。」

50. 無名氏：中呂粉蝶兒　「今日才知」套　「下紅定恐怕外人知，三稍末尾嫁了馮魁，雙通叔不索將人戲，閃得人哭哭啼啼。」

51. 無名氏：中呂粉蝶兒　「三月春光」套　「志誠蘇氏還鄉已，薄幸王魁負桂娘。」

52. 無名氏：南呂一枝花　「揣著片嬌花」套　「一箇醉李白猶憶秦娥，一箇窮雙漸偏憐小卿，一箇俊裴航早遇雲英。」

53. 無名氏：南呂一枝花　「美聲譽馳名」套　「人都道蘇小小重生豫章，我猜做李師師再長平康。」

54. 無名氏：南呂一枝花　「丹青仕女圖」套　「動靜規模，無半點哀彈處，比小卿不姓蘇，據風流天下應無，論標格寰中著數。」

55. 無名氏：南呂一枝花　「嬌滴滴千金」套　「知音不是恩情欠，恁蘇卿，俺雙漸，瞞不過慣打聽風聲阿母嚴，步步拘鈐。」

56. 無名氏：南呂一枝花　「盟山土底埋」套　「儌何郎枉撒暫，病軀老已抱藍，老雙漸打憐，小蘇卿便張喊，過中年往事經諳。磨盡少年風月膽。」

57. 無名氏：無調新水令　「玉簫吹斷」套　「一心兒要嫁箇臨川令，到如今不見影。」「舊歡娛畫餅，想蘇卿枉接了馮魁定，桂英錯受了王魁聘，都一般語真誠。」

58.無名氏：南曲滿院榴花　「別離幾番」套　「把一箇豫章城生扭做了陽關。」

59.無名氏：南黃鶯兒　「這龍門是難登」套　「你休似那村王魁拋撇桂英，可比那俏雙郎知重蘇卿。」

60.陳藎卿：中呂好事近　「瞥見綉筵前」套　「怪馮魁偏泛茶船，柔腸暗牽，料雙生終得會蘇卿面。」

61.張　鍊：正宮端正好　「為頭兒鳳求鸞」套　「恨蘇卿忒狠心，歎雙生乾罷手，老虔婆現把茶船受，再休和不似人的馮魁一路兒走。」

62.黃　峨：仙呂點絳唇　「驕馬吟鞭」套　「你愛的是販江洪茶數船，我愛的是詠風流詩百篇。你愛的是茶引三千道，我愛的是錦箋數百聯。」「山海似恩情方才展，被他愛錢娘撲地掀天壞了好姻緣。我只願禱告青天，若到江心緊溜旋，向金山寺那邊，豫章城前面，好教一陣風剪碎了販茶船。」（與秋夜雲窗夢一折相近）

63.唐　寅：石榴花　「折梅逢使」套　「說與他決不學王魁倖，說與他莫學蘇卿。說與他酒泛銀瓶，我也無心去飲。」

64.梁辰魚：畫眉序　「花下見妖嬈」套　「琵琶撥盡相思調，能詩賦薛濤，賽江東小喬，雙生何必尋蘇小，鳳鸞交，偎紅倚翠，無福也難消。」

以上計六十四套，早自《錄鬼簿》前輩已死名公有樂章傳於世的楊西庵參軍，生於慶元三年丁巳，金正大初進士，卒於至元六年己巳（一一九七—一二六九），到明代中晚期的楊慎之妻黃氏，楊慎是一四八八到一五五九之間的人，下距萬曆四十四年（一六一六）五六十年，大約在嘉靖以後，雙漸與蘇卿故事慢慢銷聲歛跡。而《西廂》仍大行其道，成為唯一愛情標本故事，但從這些套數裏，仍可看出：小卿雙漸故事大要及關係人物並無變化。雙漸窮，馮魁富，黃肇是「姨夫」，金山寺題詩。雙漸赴得中，做臨川縣令，老鴇愛錢，二人雖經波折，終成眷屬。

㈤元明雜劇中引列雙漸與蘇卿者：

一九三四年，趙景深氏寫了一篇「元曲先後」考，談到元曲作家時代的先後甚難考定，當然作品的先後則更難考查了。但我們會發現元曲每喜歡引以前的戲劇為典故，藉此到可以考出某篇在某篇以前或以後。趙文大約從《元曲選》、《古今雜劇》、《元明雜劇》等書查出三十本劇本與其他各本之間互相稱引的關係。他為《販茶船》（王實甫）找出關漢卿的《金線池》、楔子、第三折、四折中引用有關雙漸蘇卿的句子摘出，共找到六個劇本。而我卻找出《元明雜劇》中引雙、蘇故事共約二十種，當然不能忘了《董西廂諸宮調》那一曲〈柘枝令〉曲文：

也不是崔韜逢雌虎，也不是鄭子遇妖狐。也不是井底引銀瓶，也不是雙女奪天。也不是離魂倩女，也不是謁漿崔護。也不是雙漸豫章城，也不是柳毅傳書。

而這些應都是諸宮調的名目，所以在《水滸傳》五十回白秀英表演的諸宮調說唱也是：「那白秀英道：今日秀英招牌上，明寫著這場話本，是一段風流蘊藉的格範，喚做豫章城雙漸趕蘇卿。說了開話又唱，唱了又說。……」而這裏的「話本」不正是前舉第十二套景元啟的：「將一對美滿姻緣，萬載千秋教人做話兒演！」不就是第十八張鳴善套中的：「雖葬在黃坵土灘，名播在天上人間！」嗎？今將有關元明雜劇中引用雙、蘇為典故的，臚列於後：並摘其有關曲文。

△1.關漢卿：《趙盼兒風月救風塵》

第一折　賺　煞　……你個雙郎子弟，安排下金冠霞帔。一個夫人來到手兒裏卻則為三千茶引，嫁了馮魁。

第三折　小梁州　可不道一夜夫妻百夜恩，你可便息怒停嗔，你村時節　背地裏使些村，對著我合思忖，那一個雙同叔打殺俏紅裙。

△2.關漢卿：《杜蕊娘智賞金線池》

楔　子　端正好　鄭生遇妖狐，崔韜逢雌虎。恰向那大曲內盡是寒儒。想那知今曉古人家女，都待與秀才每為夫婦。　么：既不呵那一片俏心腸那里每堪吩咐，那蘇小卿不辨賢愚。我若是五十年不見雙通叔，休道是蘇媽媽也不是醉驢驢，我是他親生的女，又不是買來的奴。遮莫拷的我皮肉爛，煉的我骨髓稣。我怎肯跟將那販茶的馮魁去。

第三折　堯民歌　「麗春園只說一個俏蘇卿，到後來不能夠嫁雙生。明知道你秀才每沒前程，畫船兒趕到豫章城，撇甚清，投至你寡情，先接了馮魁定。」

第四折　收江南，得官呵相守赴臨川，隨著俺解元，也不索哭啼啼扶上販茶船。

△3.李文蔚：《同樂院燕青博魚》

第三折　煞　尾　忒淫濫蘇小卿，不值錢王桂英！正是病僧勸患僧。

△4.武漢臣：《李素蘭風月玉壺春》

第一折　後庭花　感謝你箇曲江池李亞仙，肯顧戀這貶江州白樂天，願你個李素蘭常風韻，則這箇玉壺生永結緣。雙同叔敢開言，著你個蘇卿心願，我雖無那販江洪茶數船，我也敢賠家私住幾年。衣綾羅錦繡穿，食珍饈百味全。

柳葉兒　也養的恁滿家宅眷，不是我出言語在駿馬之前，哎你個謝天香肯把耆卿戀，我借住在臨川縣，敢買斷麗春園，一任著金山寺攞滿了販茶船。

第三折　小上樓　么：恕生面咱雙秀才，告迴避波縣宰。……每一個不賒，見將錢便賣。

5.石君寶：《諸宮調風月紫雲亭》

第一折　醉中天　我唱道那雙漸臨川令。他便腦袋不嫌聽。提起那馮員外，便望空裡助采聲。把個蘇媽媽便是上古賢人般敬。我正唱到不肯上販茶船的小卿。向那岸邊廂刁蹬，（帶云）俺這虔婆道兀得不拷末娘七代先靈。

△6.石君寶：《李亞仙花酒曲江池》

第一折　醉中天　莫不是沖倒臨川縣，莫不是博買了麗春園。

7.戴善甫：《柳耆卿詩酒翫江樓》

第　折　浪來裏煞　這的是雙解元使的計策，小蘇卿中了機彀，我去那打魚舡上准備了釣鰲鈎。

8.無名氏；《玉清庵錯送鴛鴦被》

第一折　尾　聲　則你那脩道的玉清菴，索強如題筆的金山寺。靜幃裏新婚燕爾。

△9.無名氏：《逞風流王煥百花亭》

第一折　滿庭芳　……雙秀才你是個豫章城落了第的雙學究，柳秀才你是個翫江樓除了名的柳侯。

第二折　迎仙客　二解元、兩儒流，料著他白捉鬼比小卿不姓蘇，比月仙不姓周。雙通叔一般雙，柳耆卿同姓柳。柳殿試實指望明月玩江樓，雙解元干閃在金山後。

10.無名氏：《鄭月蓮秋夜雲窗夢》

第一折　後庭花　你愛的是販江淮茶數船，我愛的是撼乾坤詩百篇。你愛的茶引三千道，我愛的文章數百聯。富貴呵，便休言。（此處與前 62 套相似）

賺煞　……山海恩情方欲堅，被俺愛錢娘撲地掀天，壞了這好姻緣。我則索禱告青天。若到江心早掛帆，向金山那邊，豫章城前面，一帆風剪碎了販茶船。（此曲亦大致同62黃峨套。）

第二折　醉太平　見如今惜花人病損，俺娘和茶客錢親。卻交我嫩橙初破酒微溫，那的是眷姻。

醉太平　馮魁是村到有金銀，俏雙生他是讀書人，天教他受窘。……書生有一日跳龍門，咱便是夫人縣君。

滾繡毬　……覷這販茶船似風捲殘雲，留取那買笑的銀，換取些販茶的引。這其間又下江風順，休戀我虛飄飄皓齒朱唇，如今這麗春園使不的馮魁俊，赤緊的平康巷時行有鈔的親。

叨叨令　兩行詩寫不盡丹楓恨，一封書空盼殺青鸞信，三停刀砍不斷黃桑棍。

第三折　石榴花　我恨不的把家門改換做短長亭，恨不的拆毀了豫章城。聽的唱陽關歌曲腦門疼。

鬪鵪鶉　則為我暗約私期，致令得離鄉背井，這其間帶月披星禁寒受冷，恨則恨馮魁那個丑生，買轉俺劣柳青。一壁廂穩住雙生，一壁廂流遞了小卿。

快活三　武陵溪畔俏書生，安樂否臨川令？（夢中月蓮唱）

鮑老兒　今日個復對上臨川令，鸞交鳳友，鶯期燕約，海誓山盟。

二　煞　……都是謀兒誤倒臨川令，你莫不笙歌謝館（絃管）來金斗，風雪長安訪灞陵。

第四折　梅花酒　呀，正撞著販茶客列舞筵歌席。

折桂令　今日個成就了鸞歡鳳喜，何消你愛錢娘唱叫揚疾。（末曲）

11.鄴經：殘折　烏夜啼　臨川縣雙漸把撅其攬，潯陽岸上風頭難把扁舟纜，志誠心咱批勘。此題（鴛鴦塚雜劇）。或作「（王嬌春死葬鴛鴦塚）」，參（嬌紅記）。

12.賈仲名：《荊楚臣重對玉梳記》

第二折　塞鴻秋，則俺那雙解元普天下聲名播，哎你箇馮員外捨性命推沒磨。則這箇蘇小卿怎肯伏低，將料著這蘇婆休想輕饒過。

第四折　缺牌名　……則我這節婦牌旌表在麗春園，更和你那紫泥宣頒降到臨川縣。

13.朱有燉：《甄月娥春風慶朔堂》

第四折　卜　兒　你學古時蘇小卿怎生嫁了馮魁來？

水仙子　……愛他那販茶船改變了，豫章城趕上多嬌，他不往江心裏跳，剗地在水面上邀，好著那雙漸毦毦。

14.朱有燉：《美姻緣風月桃源景》

第一折　油葫蘆　……將他那馮員外茶簍搜拾盡，又趕著販鹽客喚郎君。

15.朱有燉：《劉盼春守志香囊怨》

第一折　寄生草　……有一個崔鶯鶯《待月西廂記》，有一個董秀英《花月東墻記》，有一個王月英《元夜留鞋記》，有一個蘇小卿《月夜販茶舡》，有一個呂雲英《風月玉盒記》。

金盞兒　客官只將蘇小卿比呵，你試聽咱：想馮魁那個呆頹，干送了三千引新茶落個甚的，船到了金山寺里，那蘇卿打聽的雙生及第，他又早向回廊壁上暗留題。

16.朱有燉：《呂洞賓花月神仙會》

第一折　山花客　願得似小卿雙漸，百年一處歡慶，只願得好花不謝，好月常圓，好事同成。

17.朱有燉：《小天香半夜朝元》

第一折　油葫蘆　……把我似蘇卿接了馮魁定，月仙逼迫向漁船上甯，你道是織塊般茶寠兒沉。

寄生草　罵你個腌材料，潑丑生，子你將販茶船變做蒸人甑。

18.朱有燉：《惠禪師三度小桃紅》

第一折　天下樂　……娘為著板障女設些誓盟，他子愛村馮魁鈔貫兒盈，那里問俏雙郎詩句兒清，走上那販茶船連夜行。「外」和尚你又道的差了，蘇小卿既是要嫁馮魁呵，怎肯金山寺題詩，又到豫城還就了雙生，這是當初被他老虔婆愛錢把他來嫁了，不干他事。

那吒令　假言請行請，囑咐下金山寺眾僧。算前程後程，怨他麗春園柳青。實心誠志誠，嫁與了茶船上那生。既和他共枕眠，既和他同衾甯，早難道紅紛無情。

鵲踏枝　若不到豫章城趕上蘇卿，順著那兩岸蘆花千里帆輕，打聽的雙通叔除授了臨川縣令，他又道惺惺的還惜惺惺。

按柳技集批云：蘇小卿失身於馮魁，與章台柳失身於沙吒利同是千古恨事。雖金山寺上留詩，未足補其失身之辱。今妓女家動稱蘇小卿。

19.朱有燉：《蘭紅葉從良煙花夢》

第一折　金盞兒　你待要占場兒買斷了麗春園。

醉中天　又有三千引茶休誇你江茶滿船。

第二折　玄鶴鳴　則你這呆黃肇心腸硬，更合著蘇婆婆臉道紅，送的那俏蘇卿船解纜，閃的個雙通叔寨兒空。（且指正淨唱）又撞著村馮魁狗一段趕臊，趕臊的業種。（這一段幾乎關係人全說到了。）

20.孟稱舜：（陳教授泣賦眼兒媚）

第一折　山石榴　雖則是良家許咱娼家做，只怕咱唱人沒那夫人叩，今日俏蘇卿干受了雙生定。准備著金花誥頭上頂。

第三折　小桃紅　我待向春風長唱杜陵花，比著那蘇小卿沒半些兒高下。

從以上資料，至少可以看出蘇小卿成了風月女子的代表，而從關漢卿的《金線池》，可推知蘇三婆不是蘇小卿的親生母親，則小卿落娼事可信；雙漸趕考出於蘇卿鼓勵，從《雲窗夢》可知；第三折中說得很明白。金山寺題詩是一直有此情節，《香囊怨》裏也說得很明白，《小桃紅》更是以此故事為全劇大綱，而後來的《千里舟》可能源於《小桃紅》鵲踏枝曲文；關於黃肇退狀，信安斷沒販茶船的斷案，在《煙花夢》一劇中有相同情節。其間除了關漢卿的兩劇提到雙蘇之外，最特別的是明初誠齋周憲王朱有燉，有七個劇本都用了雙漸蘇卿的故事。他是明太祖之孫，生於洪武十二年，卒於英宗正統四年（一三七九—一四三九），而孟稱舜的生卒不詳，因為他是崇禎時諸生，應是明末清初人。

五、新發現之雙漸蘇卿故事劇本：

此次最大收獲，即在除了趙景深《元人雜劇鉤沉》中所發現的元雜劇《販茶船》一折，以及《南戲戲文》殘曲之外，個人在將近八九個月中，「上窮碧落下黃泉，動手動腳找材料」中，卻發現了兩個從未為學者們所提到的劇本，今略述於後：

㈠戲文：前已述及，茲不贅。

㈡雜劇：《蘇小卿月夜販茶船》：王實甫。

此折見於嘉靖三十年（一五五一）本《詞林摘艷》，後於摘艷的《雍熙》無題，亦不注出作者，《摘艷》卷三作（販茶舡雜劇），元王實甫；《北詞廣正譜》引套中越調鬥鵪鶉一曲，題為（販茶船）王實甫，當屬不錯，依其內容鄭振鐸氏以為是鴇母和馮魁設計，偽造雙漸與小卿的書信，表示要和她決絕，故小卿一邊讀信一邊怪雙漸無情。然已不知為第幾折，趙景深以為是第三折，而鄭以為是第二折，今收入趙景深氏《元人雜劇鉤沉》，頁二九至頁三四。一九五六，上海古典文學出版社，臺灣臺北世界書局再版。

㈢《留題金山記》（或《金山留題記》）無名氏傳奇。

此劇見《新刊耀目冠場擢奇風月錦囊》中之第八卷，題為《摘匯奇妙續編全家錦囊留題金山記》下八卷。此書刊於明嘉靖癸丑歲秋月，詹氏進賢堂重刊，即一五五三年；由於是重刊，便已知道此劇早在一五五三年之前就有了，從全劇所用組套及曲牌來看，屬於傳奇系統，一開頭便有：「拍板初開艷戲臺，鼓兒點動鬧情懷。莫道戲文無好處，引出公侯宰相來！」自然說明它是一本「戲文」，在末開場（沁園春）詞中是這樣說的：

忠孝盧川，賢哉張氏，奈親命強赴春闈，占熬（鰲）頭遽差胡地，堅心無屈志，持節見單乎（于）。年荒歲早（旱），妻室遽分離，留題金三（山寺），夫婦錦衣歸。

這一段話已很明白，男主角是盧川，女主角張氏。第一出遊春，第二出送別赴考，託付雙親；別後張氏題詩，因公公逼嫁，自縊，幸婆婆救下；公公以為盧川已死番邦。好意免其獨守，張氏深知聖賢之義，夫縱亡亦不嫁，只怪貪半紙功名，致使夫妻離散。然後公公與媳婦泛舟江上，並未交待如何，而後盧生到金山寺見到壁上題詩：

憶昔當初別鳳凰，至今魚鴈兩茫茫。
新婚已作鹽商婦，舊恨難忘折桂郎。
彭澤曉煙迷翠黛，瀟湘夜雨滅紅妝。
新詩寫向金山寺，高掛雲帆上豫章。

盧川見了這詩，便問僧人，僧人便告知昨日一個美婦人同個婆子，寫下這詩，尋得題詩人，得知種切；大悔自己一去三載未寄書信，家中遭饑，又奉旨入胡。招贅不從被拘，幸喜回朝，榮歸故里，見留詩得相會，劇情如此，並非雙漸蘇卿，而梅禹金《青泥蓮花記》有前所題詩，盧前

《婦人散曲集》後之曲話有題詩，《石點頭》卷二有「盧夢仙江上尋妻」，《曲話》謂揚州李妙惠載其詩，為盧進士妻，見《仰山脞錄》，則依此記載，此則為雙、蘇故事之旁支無疑。金山題詩確有其事，而元人散曲劇曲中不見，所見之詩，又屬明人所記此事當有待澄清，而此劇暫可歸入雙、蘇故事一類中。

㈣無名氏：（雙漸寵訪蘇小卿）

此劇見於萬曆壬寅（一六〇二）積秀堂覆刻本《樂府紅珊》，原書題為《新刊分類出像陶真選粹樂府紅珊》。卷九訪詢類第一篇即此劇，書前目錄題為《茶船記》，韓南《樂府紅珊考》（王秋桂譯）民國二十三年李家瑞曾在杭州書肆發現明刻殘本，今所見為大英博物院藏清嘉慶庚申（一八〇〇）年刊本，收在王秋桂主編的《善本戲曲叢刊》第二輯。韓南所考仍以梅氏所錄為主要論證，餘無所發現。

此本有圖二幅，蘇小卿河南人，父平和建，母張氏，父母雙亡，義兄平旺同扶柩還里。中途短錢，賣入娼家蘇媽媽，有一馮相公馮魁，常來走動，蘇卿煩悶；在樓前閒眺，時有姓雙名生字漸寵的洛陽人，來廬州依年伯何宏量知府，同表弟在三清觀讀書，私出登樓偶見嬌女，原是名妓蘇小卿，二人相見互道里貫相遇，甚有同病相憐，意氣相投，相見恨晚之慨。正在暢敘，忽報豫章城朋友馮相公魁來訪，雙生即告辭，小卿約其明日早來。僅此一出，人物名稱大致相同，但主要情節卻不一樣，然而目錄記為《茶船記》，其屬於雙蘇故事所衍出，當無疑問。然而它的變形，走樣，卻非原形了。

六、結語

以上結集有關雙漸、蘇卿戲曲資料，小令專題四十七首，涉及者三十三首；散套專題者十七套，其中三套可定為諸宮調；涉及雙蘇者六十四套；劇本中元明雜劇涉及者二十本，而專以雙蘇故事者四本，其中戲文殘存十曲，北雜劇殘存一折；而以此次在《風月錦囊》中之《金山留題記》及《樂府紅珊集》中所發現之「雙漸寵訪蘇小卿」亦是很大收獲。自去秋徂冬，終日埋首各詞曲集中，十日不見一條相關資料，翻遍所能見之元明雜劇等各種版本，反覆檢索；長夏揮汗，固然屬於沙披瀝金的笨工作，難免有一得之喜。因限於篇幅，文中註腳，及參考書目均不能再附上，他日將可以此全部資料結集，仿梁祝說唱故事集、孟姜女萬里尋夫集，輯成一本雙漸蘇卿故事集，以供同好，是所願也。

中華民國七十六年七月　殿魁記於傍南山居雙玉齋

後記

今年八月前文寫成宣讀時，故宮陳萬鼐教授提示，一九七一年元月《圖書季刊》一卷三期，陳先生曾發表「蘇小卿月夜販茶船」雜劇拾零一文，提供參考，文中引及清人平步青一條，足堪借證。至為感謝。十月間，正忙於開學上課，周純一弟及林鋒雄教授先後告知明人胡文煥主編之《群音類選》卷四，諸腔中收有《茶船記》金山題詩一折，逍遙樂、山坡羊，前腔三首，是萬曆十六至二十四年間選刊的本子，此折內容敘馮魁陪蘇卿至金山寺燒香，小卿借機題詩留話，此又一新發現也。鋒雄並告以卷六北腔尚有醉花陰套，下注：「金山見詩，疑此亦雜劇」，經查核是為明王文舉所作，見本文以雙蘇為題之散套中之第十七例「短棹輕帆下江水。」其情節與上引一折相連貫，又增新資料，並此詩謝。

七十六年　先總統蔣公百年晉一誕辰紀念日殿魁記於雙玉齋

（原載於　漢學研究 6:1=11 ·明代戲曲小說國際研討會論文專號，1988.06，頁 551-579）

元散曲訂律提要

元人散曲，在中國文學史上之地位，與唐詩、宋詞等，然世俗多誤以為元人雜劇，即代表全部元曲；實則雜劇乃係聯合各牌調附以故事，插以賓白，配以科諢，而成一綜合體。若就詞章格律而言，唯散曲方能顯示元曲曲牌之原來形貌，故欲研究元人劇套之組合原則，各牌調在劇套中所代表之各種不同聲情，非由探索散曲之格律入手，不易為功！此為本文之所以分析散曲格律之主要目的之一。

或謂言曲律之書，傳世甚夥，德清周氏開其端，寧獻正音繼其緒，北詞廣正世推贍備，九宮大成盡其淵博！汝何為而作蛇足之業乎？其實不然！德清之十法，開曲律之先河，但曲調未備；正音搜羅雖富，惜語焉不詳；廣正雖贍富，然因貪其完備，往往古今不分；大成則由樂工之附會，紛紜舛誤，不稱其職！且各譜或因取材過廣，元、明、清視同一代，體例不純，自難探元曲之本來面貌，元人散曲，猶元人之詩之詞，雖多俚語方言，要之作者無不恪遵當時歌譜之曲折，音樂之節奏，不似劇曲之因插賓白而顯支離；且為澄清元人曲律本格，當以從散曲人手為宜，此為本文之所以寫作之目的之二。

元曲作者，多因政治因素，困頓流離，甚少顯達，且因曲多流於倡家构肆，故既無專集傳世，亦乏文人學士為之編纂曲集。劇曲已然，而散曲亦未嘗不如此！今傳世元人散曲，不外陽春、太平、新聲、珠、玉等，但因傳鈔既久，訛舛亦多。及至明代，曲集乃富，雍熙、盛世、詞紀、吳騷，盈千累萬，品類雖多，惜多出於南曲盛行之明季，故諸集中之北曲諸作，既已非元曲面目，且南北混列，更易使讀之者目眩！故欲探北曲鼎盛之元曲，其取材可不慎乎？

近世以來，秘笈相繼出現，諸家於元人散曲，蒐羅校訂，亦頗超佚前代，如二北任氏之叢刊，開散曲與劇曲分立之先河；繼而飲虹簃盧氏諸刻，網羅元明散曲佳構；及后鈔本陽春，元刊太平等相繼出，於是元人散曲傳世乃多，今世之所能得者，大約已備於隋氏育楠《全元散曲》一集中矣。魁酷愛散曲，復承　師命，盡讀故宮所藏元明曲籍珍本，退而作校讀，每苦格律之不明，句讀之不能斷，而曲意亦不能明矣！乃請業於　因百師，授以師所撰北曲新譜稿本，命為元人散曲訂律。於是及取元末明初以前之元人散曲總集、別集，分宮按調，以牌調為單位，同牌諸曲，鱗次櫛比，相與分析比較歸納，譜律體裁，悉遵　師譜，復以前代諸譜，散、劇不分，而本文之範疇，乃以元散曲為主，故所校訂者，亦以元人散曲所用者為主。故所訂曲律，只限散曲，而所舉例，亦以合格律而文詞之雅馴者為主，故本文雖訂散曲之律，然所選之例曲，亦皆元人散曲之佳作也。

訂律之事，本極繁瑣，且元代去今七八百年，歷時既久，此一歌詩，亦唯存文詞，不可得其曲折宮譜，明崑山腔出，盡改北口，易為南唱，而北曲音樂之神韻，早不可追，此為探索曲律之一大損失也！幸魏氏雖改為南音，然其句度聲情，亦未盡棄北調，故為欲探索各曲牌之板拍、句度，乃復取納書楹、遏雲、集成諸曲譜，搜集諸譜中所用之北曲牌調，析其板眼，比其工尺，乃得各曲明季而後之聲情，其中緊慢尺寸，悲惋雄壯，亦可得其貌似，而各劇套組合之程式，及牌調相連之依據，亦可略知其梗概。故不憚煩瑣，其各曲尚有宮譜可唱者，乃附記其慢吟快唱，或散或點，以為他日分析元曲組套程式之所取資。

於研究及撰述本文之過程中，爬羅剔抉，披沙揀金，雖未得有驚人之創獲，而戔戔之得，亦足以證前賢之疏誤，啟後學以正途，茲略舉數端，以明其大要：

㈠商政叔正宮月照庭萬木爭榮套內，六么遍第五、六句，依譜律當是兩七字句，五句之式為上三下四；六句為上四下三，今檢盧氏校本太平樂府卷六，及雍熙樂府四，兩句作：「覷五陵英俊，因而漸香消減玉剎幾咨，」句法不合，擅曲如盧氏，亦莫知其誤；隨育楠知「幾咨」之不可讀，乃依雍熙改為：「幽姿」，然亦未能發現句讀誤斷，而文理、格律兩不通矣！蓋二氏均誤認「因而」二字為一般原因副詞，而不知其屬上句讀作：「覷五陵英俊因而！」「因而」者，張相詩詞曲語彙釋曰：『因而，草率之意』。並舉史梅溪杏花天詞：「卻怕因而夢見」；並又舉商氏此句：「覷五陵英俊因而。」注曰：「言看得英俊少年輕藐也」；二氏均疏於詳察，此誤不正，則文理格律兩不可解。

㈡太平樂府卷八載姚守中呂粉蝶兒性魯心愚套中，十二月「心中畏懼」一首，按律十二月祇六句，而此章多至十四句，溢出一倍以上，細檢六句而後乃堯民歌，各本漏題，盧氏亦未校出。

㈢樂府新聲卷上載張彥文南呂一枝花春風醉碧桃套，內有鎖窗風細一首，各本均題：「菩薩梁州」隋氏沿新聲之誤，亦原本照題，學者不知，將謂此為菩薩梁州之第二格矣！實則按譜細覈，此首當是：「紅芍藥過菩薩梁州」，各家校訂，均未之見，今並為補正。

㈣陽春白雪後集二載呂止庵仙呂翠裙腰纏令老來多病套內，其第二支更西風釃一首，檢其句式、格律，當是仙呂六么遍，而隋氏校本及全元散曲，雍熙五均題為金盞兒，此種誤謬，非訂各曲之律不能知其誤。

㈤太平樂府六載朱庭玉祆神急磨空生粉雲套，誤酒筵一首，盧校本及隋本均循舊本題作「隨煞」，今按格律應為後庭花煞，此雖小誤，足滋紛擾！然則不能細檢曲律，何能正其訛？

㈥凡熟知散曲者，必知劉時中所創之長套之一，正宮端正好眾生靈遭魔障上高監司套，其中見餓莩成行街上一支，陽春以下各本，均為貨郎，今檢廣正譜正宮六下引作轉調貨郎兒，其句式格律為：貨郎兒首三句，接醉太平全支，續以貨郎兒末句。此格頗似南曲中之犯曲，北曲中除若干煞尾格之外，從無如此組合者，此種特例，於熟於曲律之士，必能留意，而隋氏校樂府新聲下，原書此卷本為小令，而於新排本九十三頁醉太平後，接有貨郎兒，脫布衫、醉太平、貨郎煞，其形式頗似套曲，故隋氏收入全元散曲，定為無名氏正宮貨郎兒靜悄悄套曲，但此套貨郎煞，祇有一句，頗異北曲尾聲常格，於是隋氏於校記內注曰：「以下只前四首是醉太平小令，皆王元鼎作，見太平樂府。後半貨郎兒、脫布衫、醉太平、貨郎煞四曲為一篇，詠仕女秋千，似係套數而非小令帶過；惟套數中未見以貨郎兒起者，末曲貨郎煞又僅一句，疑有訛脫。」實則此為一支轉調貨郎兒，當視同小令而非套曲，隋氏不諳曲律，致生疑竇而不能知其然；又如雍熙卷四載范居中正宮金殿喜重重風雨秋堂一套，本是一南一北之南北合套，然其中第三支金殿喜重重後，應接一支北曲，再接一支南曲，而套中此處連續接以北貨郎兒、北醉太平、尾聲、尾聲而後接南曲賺……此種大悖常情之合套，實屬少見，且除南呂套中可用隔尾而外，其餘宮調，套內接尾聲者，可謂少見，此套並分別由雍熙、詞紀、詞林、白雪、彩筆情辭諸書，各本均未按律題名，且歷來治散曲者，亦未提出此一特例；實則此亦轉調貨郎兒一支而已，昧於律者，不知其組合之原因，乃予以分題，如此亦足以混淆合套之規律！

(七)又如樂府群玉二載喬夢符不占龍頭選自述小令一首，群玉未題宮調，任二北輯夢符散曲亦未著宮調，而隋氏全元散曲乃題曰正宮，今按正宮六么遍句式與此不同，此當題為仙呂，蓋其句律，正合仙呂六么遍，且同書張小山水仙子小令中有：「彈仙呂六么遍。」如此兩格各異，豈可誤題？

(八)又如喬吉文湖洲詞集：「千古藏真洞，」小令一首，各本題為：「越調酒旗兒」，任二北已見其誤，校注曰：「此調與碧梧秋彷彿，與越調酒旗兒不合。」淵博如任氏，疑則是矣，若謂近碧梧秋則非是，按律細檢，此調當是「仙呂醉中天」。

以上所舉，不過於本文研究過程中，於前賢之疏誤，略作補正，而全文如上所正者尚多，今略述數點，以證本文之一得，至於譜中訂正譜書，勘正曲文，隨文而是，不一一列舉。

（原載於　木鐸1期，1972.09，頁39-42）